Journal d'un disparu

MAXIME LANDRY

Journal d'un disparu

Libre Expression

Une société de Québecor Média

Catalogage avant publication de Bibliothèque et Archives nationales
du Québec et Bibliothèque et Archives Canada

Landry, Maxime, 1987-

    Journal d'un disparu
    ISBN 978-2-7648-0532-9
    I. Titre.

PS8623.A521J68 2015   C843'.6   C2014-942419-1

PS8623.A521J68 2015

Édition : Johanne Guay
Révision et correction d'épreuves : Marie Pigeon Labrecque, Julie Lalancette
Couverture : Axel Pérez de León
Mise en pages : Annie Courtemanche
Photo de l'auteur : Sarah Scott

Remerciements
Nous reconnaissons l'aide financière du gouvernement du Canada par l'entre-
mise du Fonds du livre du Canada pour nos activités d'édition.
Nous remercions le Conseil des Arts du Canada et la Société de développement
des entreprises culturelles du Québec (SODEC) du soutien accordé à notre programme de publication.
Gouvernement du Québec – Programme de crédit d'impôt pour l'édition de
livres – gestion SODEC.

Les Éditions Libre Expression
Groupe Librex inc.
Une société de Québecor Média
La Tourelle
1055, boul. René-Lévesque Est
Bureau 300
Montréal (Québec) H2L 4S5
Tél. : 514 849-5259
Téléc. : 514 849-1388
www.edlibreexpression.com

Dépôt légal – Bibliothèque et Archives nationales du Québec et Bibliothèque
et Archives Canada, 2015

ISBN 978-2-7648-0532-9

Distribution au Canada
Messageries ADP inc.
2315, rue de la Province
Longueuil (Québec) J4G 1G4
Tél. : 450 640-1234
Sans frais : 1 800 771-3022
www.messageries-adp.com

Diffusion hors Canada
Interforum
Immeuble Paryseine
3, allée de la Seine
F-94854 Ivry-sur-Seine Cedex
Tél. : 33 (0)1 49 59 10 10
www.interforum.fr

Pour ma mère, qui est restée malgré tout...

Hier encore

28 août 2003

C'est étrange ce matin, c'est comme si j'étais encore là ! Tout autour de moi est exactement comme je l'ai laissé. Caroline, ma voisine, a ouvert ses persiennes vers six heures quarante-cinq comme à chaque début de journée. Deux minutes trente secondes plus tard, elle est sortie chercher son journal, et ce, quinze minutes exactement avant de sortir pour une seconde fois, traînant son bâtard au bout de sa laisse pour une balade de vingt-deux minutes tapantes. Sa vie doit être d'un ennui mortel si on se fie aux dires de son mari. Robert passe son temps à se plaindre à ses voisins que sa femme ne déroge jamais de ses maudites manies, ne serait-ce qu'une infime journée par semaine. Pauvre lui ! Il radote à qui veut bien l'entendre que plus rien ne tient du mystère avec elle. Pourtant, ils sont mariés depuis dix-sept longues années, soit seize de trop à son avis. Il aurait dû se rendre compte bien avant qu'elle ne mènerait jamais une vie des plus trépidantes.

C'est toujours la même routine qui les attend à partir du moment où ils prennent vie le matin, et jusqu'à ce qu'ils se remettent au lit, au soleil couchant.

Seul Dieu est au courant de ce qui ne se passe pas dans leur chambre à coucher, mais à peu près tout le monde de la rue de l'Église s'en doute vu le manque de discrétion de Robert dans ses propos. S'il fallait que Caroline ait entendu une seule fois les échanges qu'on a eus autour de nos bacs à poubelles le mardi soir vers dix-neuf heures, elle aurait probablement fait ses valises depuis un bon bout de temps. Son mari en a gros sur le cœur, ça, c'est certain.

En tout cas, si lui s'ennuie, ce n'est pas du tout le cas de mon autre voisin, Yvon. Lui, c'est le genre de gars avenant qui se lève beaucoup trop tôt le matin et qui en profite pour tondre son gazon et réveiller la rue au grand complet. Tout en entretenant ses bordures, il prend quelques minutes pour reluquer le cul de Caroline, qui ne s'habille que lorsqu'elle a ramassé le quotidien que son gentil facteur lui a apporté.

Le gentil facteur, c'était moi. J'en ai manipulé, des lettres, des journaux et des paquets de toutes sortes. Quinze belles années de loyaux services. Je ne peux pas dire que je n'aimais pas mon métier. Il m'a permis de gagner ma vie pendant un bon moment et d'être mon propre patron, ce qui n'était pas non plus désagréable. Jamais je n'aurais admis qu'un supérieur me donne des ordres ou me réprimande alors que je me fais mourir à travailler pour lui. J'ai préféré mener ma barque à ma manière et comme je croyais bon de le faire.

Je me rendais au bureau de poste chaque matin que le Bon Dieu m'offrait pour y classer papiers, enveloppes et colis en tous genres. Je connaissais les gens du village en entier par leur nom, leur numéro de porte et leur visage. C'est normal puisque à peu près tous les habitants attendaient ma venue, debout près de leur boîte aux lettres en été et dans le confort de leur petite maison l'hiver. De toute façon, ici, à Sainte-Madeleine-des-Monts, tout le monde se connaît, car il y a autant d'habitants que de lampadaires, et ce n'est pas très éclairé comme village.

La petitesse d'un endroit, ça comporte son lot d'avantages, mais aussi bien des désagréments. Quand il se produit quelque chose ici, il ne faut pas longtemps avant que toute la rue principale le sache.

Quand la femme du notaire a manifesté l'intention de quitter son mari, je crois bien l'avoir su avant lui. J'ai bien vu qu'elle avait gentiment balancé ses vêtements partout dans la cour de leur extravagante maison, ce qui m'avait mis la puce à l'oreille. On me l'a confirmé quelques boîtes aux lettres plus tard. La bonne ménagère en elle n'a jamais su passer l'éponge sur la relation extraconjugale qu'il a entretenue pendant des années à son insu. Elle était folle de rage quand elle l'a appris.

Il prenait son pied avec la femme du cordonnier, qui ne le lâchait jamais d'une semelle. Du moins, c'est ce que j'ai su entre les branches.

Mais ça, ça reste entre vous et moi… et la boîte aux lettres.

Mal chaussé, ce cordonnier ? Je crois bien que oui. Pour ce qui est du notaire, par contre, aucun souci. Il a produit lui-même son acte de divorce. Pratique !

En me rendant au bureau de poste, situé à quelques minutes à pied de la maison, je croisais toujours le boulanger qui s'apprêtait à commencer sa livraison de bons pains de ménage encore bien chauds.

D'un autre côté, alors que son coq venait tout juste de s'époumoner, annonçant sept heures et des poussières, M. Fernand dévalait tranquillement la côte dans son vieux camion Ford couleur rouille. Ce véhicule menait un tel vacarme qu'on arrivait à peine à percevoir le son des cloches de l'église, à une centaine de mètres de là, sur le haut de la côte.

En principe, le tintement devait servir à annoncer aux villageois qu'il était temps de se lever.

En somme, tout ça nous semblait bien banal puisqu'on nous y avait habitués, presque soumis. Toujours la même bonne vieille routine, la même rengaine. On aurait dit le jour de la marmotte.

Jusqu'à ce jour...

Où le soleil s'est levé à la même heure que de coutume. Sauf que, cette fois-ci, il s'est levé sous mes pieds. C'est à n'y rien comprendre.

Tout est à sa place : le monde, les odeurs, les couleurs, les bruits... Tout est identique à hier et, malgré cela, rien ne sera plus jamais comme avant, croyez-moi !

La différence la plus étourdissante, c'est que vous ne me voyez plus et vous ne m'entendez plus. Rien ne sert de crier ou de faire de grands gestes devant vos yeux rougis.

Je suis encore ici... Je ne veux pas vous quitter. J'ai encore tant de choses à vous dire.

Je vous entends déjà penser : « Pauvre Bertrand, il ne s'est pas manqué cette fois-ci. »

Au contraire, j'ai tout raté. Je n'arrive pas à y croire. Je ne voulais pas me rendre jusque-là, vous le savez, n'est-ce pas ?

Je voulais seulement me faire un peu peur, question de chasser ces idées noires qui me hantaient depuis quelques mois. Mon corps était fatigué, et ma tête l'était encore plus. Je ne parvenais plus à voir clair. Pire, à me raisonner.

Dire que, hier encore, j'étais vivant. J'avais encore la chance de profiter de chaque moment.

Quand je pense à tous ceux qui se battent quotidiennement pour la garder, cette vie. Ils en prennent soin comme je n'aurais jamais su le faire. Je savais pourtant bien que c'est ce que je possédais de plus beau ! Sans elle, on est mort, et sans ailes, on ne vole pas très haut.

En une seule nuit, j'ai tout foutu en l'air. Vous voulez que je vous dise ce qui me rend dingue làdedans ? C'est que, déjà, je regrette. En seulement quelques heures, j'arrive à me rendre compte de tout ce que j'aurais dû réaliser quelques mois auparavant. Ces quelques petits instants de paradis me font prendre conscience de la bêtise que je viens de commettre.

Le problème, c'est qu'il n'y a pas de marche arrière. J'aimerais bien qu'on me dise que ce n'est qu'une mauvaise plaisanterie et que je suis victime d'une arnaque ou d'un coup monté.

Dites-moi que je vais me réveiller, que je vais me rendre compte que ce n'était que le fruit de mon imagination. Je n'aurais pas dû manger trop lourd

avant d'aller au lit, ma mère me l'a répété tellement de fois.

J'ai l'impression de m'être égaré au bout du
monde. J'ai perdu le peu de repères que je possédais. Chaque fois que je mets un pied devant
l'autre, je ne laisse aucune trace. Tout s'efface au fur
et à mesure. Comme si je marchais dans un épais
nuage se dissipant sous mon poids.

Depuis ce matin, je vous vois et je vous entends
me pleurer. J'étais votre héros, un bon mari et un
bon père de famille, selon vous. J'ai toujours tout
fait pour rendre heureux ceux qui m'entouraient.
Je me suis oublié la plupart du temps. À m'efforcer
de vous préparer les meilleurs repas, j'en oubliais de
manger. À trop vouloir vous divertir, j'en oubliais
de rire. À essayer de vous faire croire en vos rêves,
j'en oubliais de rêver.

J'ai oublié de vivre…

Évidemment, tous ceux qui me connaissaient
sont anéantis par cette nouvelle. Qui aurait pu s'y
attendre ? Le gentil facteur toujours souriant, c'est
impossible…

Qui va bien pouvoir vous apporter vos chèques
et vos factures de téléphone ? C'est plutôt ça, la
question que tout le monde se pose.

Quand va-t-on rétablir la livraison du courrier ?

Je vous entends parler de moi sans cesse : « Il
semblait mener une belle vie pourtant. Tout paraissait tout à fait normal avec lui. »

Évidemment que vous n'avez rien vu venir. Vous
n'avez jamais non plus remarqué que vos foutues

boîtes aux lettres étaient ensevelies dans vos bancs de neige à cœur d'hiver. Vous préfériez me regarder m'enliser comme un con et me voir trébucher sur vos plaques de glace. Malgré cela, avec le plus grand sourire, je vous apportais vos bons de réduction de l'épicerie du coin, que vous alliez probablement utiliser pour allumer le feu dans vos poêles à bois.

« Voyons donc ! Bertrand ? Ça ne se peut pas, pas lui… »

Personne ne s'y attendait. Mis à part quelques petits écarts de conduite ces dernières semaines, mon comportement vous paraissait on ne peut plus normal. Je ne peux pas vous blâmer puisque je n'ai jamais été capable de parler de moi ou de dévoiler mes moindres tracas. Tout ce qui m'arrivait de négatif, je l'ai toujours enfoui au plus profond de ma tête et de mon esprit. Je n'ai jamais su extérioriser quoi que ce soit. Une vraie bombe à retardement.

Aujourd'hui, je flotte au-dessus de vos têtes, mais je ne suis pourtant pas moins lourd de toutes ces choses dont j'aurais envie de vous faire part maintenant qu'il est trop tard.

Aujourd'hui, c'est sans doute la pire journée de votre vie.

D'ici, je peux percevoir la douleur et l'amertume que vous ressentez à cet instant précis.

Ça me tue de vous voir ainsi, même si je suis déjà mort. Est-ce que je reverrai le sourire sur vos lèvres un jour ? Celui que je vous ai enlevé en sauvage et que j'ai emporté avec moi sans vous consulter.

Disons que je me voyais mal vous dire : «Vous savez quoi, j'ai envie de partir. Je ne me sens pas bien ici. On se revoit en haut, dans une cinquantaine d'années, mais prenez votre temps, la vie est belle. Du moins, la vôtre.»

Mais je peux vous assurer que je vous attendrai jusqu'à ce que ce soit le bon moment, je vous le jure. Même si je n'ai jamais été patient de toute ma vie, j'ai tout le temps qu'il faut ici pour... apprendre à mourir.

Une chose est certaine, c'est que d'ici là je compterai les jours, je vous en fais le serment. Même si vous aviez du mal à me croire de mon vivant, même si je n'ai jamais su tenir mes promesses, celle-là, je la tiendrai, je la respecterai.

À partir de maintenant, le temps ne veut plus rien dire pour moi. Les jours qui passent ne seront que succession d'événements que je devrai noter dans ce journal. Chaque fois que vous fermerez les yeux, et que vous les rouvrirez, je saurai qu'une autre journée viendra de prendre le large. Une seule nuit blanche de votre part pourrait changer le cours de cette histoire.

Voilà pourquoi je resterai là, à surveiller vos moindres faits et gestes, chacun de vos pas, qu'ils soient dans le droit chemin ou non. Je veillerai à ce que vous ayez encore et toujours cette flamme qui brûlait au fond de vos yeux la dernière fois que mon regard les a croisés, espérant que le seau d'eau que vous venez de vous prendre en plein visage ne l'a pas éteinte.

JOUR 2

MA FAMILLE

29 AOÛT 2003

J'ai eu tout ce que je voulais de mon vivant. J'avais une femme que j'aimais. Elle était magnifique, ma belle Marie… On s'est connus alors que je n'avais même pas encore dix-huit ans. Elle n'était qu'une enfant. Elle avait de longs cheveux noir corbeau, qui descendaient jusqu'à la limite de ses reins. Partout où elle allait, elle faisait tourner les têtes. Elle avait la voix d'un ange. Je l'ai rencontrée dans un bar miteux où elle chantait à l'occasion. Comme tous les hommes de la place, je l'avais remarquée dès le premier instant, et je m'étais réjoui quand son regard s'était attardé au mien. Mon cœur a bien failli sortir de sa cage quand elle s'est déplacée vers moi en quittant la scène ce soir-là. Elle venait de me jeter par terre avec sa version d'une chanson des Beatles, que je n'avais pas entendue depuis des années. On s'est parlé pendant de longues heures pour finalement terminer dans une chambre d'hôtel non loin de là. Après, on ne s'est jamais quittés. Elle adorait la musique. Elle était toujours en train de fredonner un air, peu importe l'activité qu'elle faisait. C'en était parfois même gênant et inapproprié, surtout à l'épicerie et au lit. Elle possédait un talent fou. C'est elle qui écrivait ses propres chansons, qu'elle promenait dans tous les bars de la région. Elle s'enfermait seule dans notre chambre et grattait sa guitare jusqu'au petit matin ou jusqu'à ce qu'elle ressorte avec une nouvelle chanson à la mélodie si belle que j'allais siffler toute la semaine suivante. Tous les hommes m'enviaient quand ils me voyaient entrer quelque part avec elle. En fait, ils en bavaient, ce qui me rendait fou de jalousie. J'étais incapable d'accepter tous ces regards de désir posés sur elle lorsqu'elle se tenait debout sur une scène.

Au fond, j'aurais seulement dû être content pour elle. C'est ce qui la rendait vivante et amoureuse.

Elle aurait tellement voulu faire ce métier. Elle a choisi de tout abandonner pour ne rien gâcher entre elle et moi. Elle est devenue mon épouse et la plus extraordinaire des mamans.

Elle m'a dit oui après quelques années de fréquentation. Sa mère n'était pas tout à fait d'accord, sa fille était encore si jeune, mais je ne pouvais plus attendre pour officialiser notre union. Il nous avait quand même fallu être patients puisque je n'avais pas un sou et que j'étais sans emploi. On s'était dit qu'on n'avait qu'à acheter une roulotte pour y vivre en attendant d'avoir notre maison ou bien qu'il suffisait d'emménager temporairement dans le sous-sol de mon beau-père, ce qui n'enchantait pas ce dernier, naturellement. Il n'était pas méchant, juste un peu surprotecteur. Pourtant, nous nous entendions super bien, lui et moi. Il me répétait souvent que j'étais son gendre préféré. Bon, j'étais le seul à l'époque et j'étais le premier amour de Marie, mais je le prenais tout de même comme un compliment. L'important, c'est que nous savions elle et moi que nous voulions passer ensemble les années qui allaient blanchir nos cheveux et que ce n'était qu'une question de temps avant de pouvoir concrétiser notre union.

Ma femme a toujours été là pour sa famille, peu importe les épreuves. Elle possédait un cœur gros comme le ciel, qu'elle tenait dans une seule main.
Voilà que je me surprends à en parler comme si c'est elle qui n'existait plus.
Elle est toujours là, c'est moi qui l'ai abandonnée. Elle devra maintenant se débrouiller toute seule et faire comme si elle était forte, plus forte qu'elle l'est en réalité.

En juillet 1985, elle a mis au monde le premier de quatre enfants extraordinaires, Julien. Il vient tout juste d'avoir dix-huit ans. Il a un avenir brillant, je l'ai toujours su. Il a l'étincelle que ça prend pour réaliser de grandes choses. Enfant, il essayait toujours de régler nos conflits familiaux, faisant preuve d'une grandeur d'âme et d'une résilience exemplaires. Président de sa classe de première année, il tenait des discours de grandes personnes dans la cour d'école. Ses professeurs nous ont souvent souligné le potentiel qu'il possédait.
Il va aller loin. Je ne dis pas ça juste parce que c'est mon grand garçon !
L'année suivant la naissance de Julien, Marie a réussi à économiser dix mille dollars pour que nous puissions accueillir un deuxième enfant

dans notre première maison, que nous allions finalement pouvoir faire construire à notre goût. Je n'ai jamais su comment elle y était parvenue. J'empochais, en livrant des pizzas, deux fois le salaire qu'elle gagnait durement, assise devant son moulin à coudre à longueur de semaine. Alors qu'il ne me restait jamais un sou, elle réussissait à amasser de quoi payer la mise de fonds pour la construction de notre demeure. Sans savoir le nombre d'enfants que nous voulions, nous avions choisi un plan de maison qui pouvait aisément en accueillir quatre.

Nous avons emménagé quelques mois avant la naissance de François, qui a vu le jour en juin 1987. Nous avions maintenant notre petit nid d'amour, où nous pouvions élever notre belle famille. Bien que nous y ayons apporté plusieurs changements, nous demeurions encore et toujours dans cette maison, qui a aujourd'hui le même âge que François, seize ans et des poussières.

Lui, c'est un mordu de musique, tout comme sa mère. Elle lui a transmis sa passion très tôt. Elle lui a prêté sa guitare et montré ses premiers accords dès son jeune âge. Il passait de longues heures à écouter sa mère chanter ses chansons et à l'observer. Il lui servait même parfois de juge, car elle doutait toujours un peu d'elle. J'adorais les entendre chanter et jouer de la guitare. Ensemble, ils forment un duo du tonnerre.

Alors que François était encore très jeune, on a compris qu'il n'était pas fait pour les bancs d'école. C'est un fonceur. Il a toujours tout fait par lui-même. Il gagne sa vie depuis qu'il a douze ans en faisant, tout comme sa mère dans sa jeunesse, le tour des bars de la province pour chanter et faire danser les gens. Même à ce jeune âge, il bousculait quiconque osait se mettre en travers de son chemin. Il a toujours été vaillant. Ça, il ne le doit pas aux voisins. Il a bien appris! Il travaille déjà beaucoup, et j'espère juste qu'il saura garder la tête froide dans tout ça. Il n'a que seize ans après tout.

Mes enfants ont des personnalités extrêmement différentes. Le petit frère de François, Frédéric, n'est pas très loin derrière. Marie est tombée enceinte de notre troisième garçon quelques mois après la naissance de François. Cet enfant, c'est un être à part. Je ne sais pas ce qu'il va faire de sa vie, à vrai dire, il ne le sait pas encore lui non plus, ce qui est tout à fait normal. Mais je ne m'en fais pas pour lui. Il est brillant, il faut seulement qu'il apprenne à bien s'entourer et à prendre la vie du bon côté.

Évidemment, après quatre ans et trois magnifiques petits hommes, notre souhait le plus cher était d'avoir une fille. S'il avait fallu que nous ayons douze garçons avant de l'avoir, nous aurions fait agrandir la maison et élevé treize enfants. On l'espérait plus que tout!

Notre rêve s'est enfin concrétisé en 1990; année où notre Léa est venue compléter la famille. C'est une vraie rebelle. Fort heureusement qu'elle a du caractère puisqu'elle devra survivre dans une maison où règnent trois petits monstres. Elle a rapidement appris à bien se défendre. À six ans, elle nous parlait déjà du jour où elle allait quitter la maison familiale pour voler de ses propres ailes encore fragiles. Si ce n'est pas avoir du caractère, je me demande bien ce que c'est.

Ils sont ce que j'ai de plus cher. En fait, ce que j'avais de plus cher… Qu'est-ce qui m'a manqué ? Que me fallait-il de plus que ce que le Bon Dieu avait eu la bonté de m'offrir ?

Aurai-je assez de l'éternité pour répondre à toutes ces questions ?

Moi qui croyais enfin avoir trouvé la solution à tous mes problèmes. Voilà que je me retrouve de l'autre côté, hanté par les mêmes inquiétudes. En prime, je suis aux prises avec plein de nouvelles interrogations.

J'ai du mal à comprendre ce que je dois faire au juste. Pourquoi suis-je encore ici tout seul ? Je sais bien que je suis mort, mais je ne suis pas le premier dans cet état, à ce que je sache. Pourtant, il n'y a pas âme qui vive.

Est-ce normal que je sois laissé à moi-même ? Il n'y a donc personne qui peut me répondre ici ? Il n'y a pas de mode d'emploi ? Pas de visite guidée ? *La mort pour les nuls*, ça n'existe pas ? Je suis censé faire quoi ?

Comment vais-je retrouver la lumière ? Quelqu'un peut me dire où est le foutu interrupteur ?

J'ai mal au crâne, je tourne en rond. Toutes sortes de pensées vagabondes virevoltent dans ma tête tel un tas de feuilles mortes dans un tourbillon de soir d'automne.

Je ne suis pas un trouillard, mais là je dois l'admettre, j'ai peur. Le vent me glace la peau.

Je n'ai même plus de peau ! Il me transperce l'âme. Je ne me suis jamais senti aussi seul qu'en ce moment.

Quelqu'un peut m'aider, s'il vous plaît ?

DE MON VIVANT

30 AOÛT 2003

Sainte-Madeleine-des-Monts n'a jamais été aussi sombre.

Moi qui croyais que j'étais seul au monde, certainement pas, à vous voir tous accablés par mon départ…

Ce matin, tout le monde est en deuil. Caroline, la voisine, a laissé son journal traîner sur son perron pour la première fois depuis son mariage avec Robert. Ça aurait dû le rendre heureux qu'elle déroge enfin à sa routine, depuis le temps qu'il en parle. Pourtant, il n'a pas semblé particulièrement ravi du changement. Son cabot est là, couché sur le balcon, avec l'air désemparé d'un chiot qu'on aurait castré la veille. La tête bien enfouie entre ses deux pattes d'en avant, il n'a pas du tout envie de battre de la queue.

Yvon, de son côté, néglige ses bordures depuis trois jours et tout le monde s'inquiète de ne plus entendre sa tondeuse à sept heures le matin.

Quant au résonnement macabre des cloches qui sonnent mon départ, croyez-moi qu'on l'entend vraiment bien puisque M. Fernand n'est pas passé dans son vieux camion bruyant et que son coq a décidé de faire carême. Depuis quelques jours, le facteur est en retard et personne n'en dit mot, car il ne viendra plus, le facteur. On est à lui refaire une beauté pour les derniers hommages.

Il y a plus de voitures dans ma cour qu'il n'y en a jamais eu ! Toute la famille y est rassemblée afin de consoler ma belle Marie et mes enfants chéris. Il ne manque que moi. Je manque à l'appel depuis trois jours et je ne reviendrai pas. On m'a retrouvé dans mon garage, bien au-dessus de mes affaires. Moi qui avais toujours voulu voir le monde de haut, c'est réussi.

Pourquoi faut-il toujours attendre que quelque chose de tragique se produise pour se réunir ? On a passé une vie à se dire qu'on devrait se voir plus souvent, pas juste une fois par année quand Noël oblige !

Et pourtant, j'étais le premier à me sentir soulagé dès que la porte se refermait derrière le dernier cousin un peu trop imbibé d'alcool, qui avait passé la soirée à raconter la même vieille histoire qu'on a entendue des millions de fois. Cette histoire qui a foutu la chicane et a interrompu la fête l'année dernière encore. Évidemment, il faut toujours qu'un oncle en trop-plein de gin tonic en rajoute une couche juste avant que minuit sonne, question que tout le monde se sente mal à l'aise et dévore en vitesse son pâté à la viande décongelé avant de reprendre la route pour ne revenir que trois cent soixante-cinq jours plus tard.

Pas d'absents aujourd'hui ! Les manteaux d'automne des tantes sont sur le lit de la chambre de

Léa et les bottillons sont dans le bain, comme à Noël passé.

Les vivants se soutiennent, la larme à l'œil et le cœur gros comme la terre.

C'est au baptême du petit dernier que j'aurais aimé vous revoir, pas à quelques jours de mes funérailles.

Pourquoi avoir attendu que je n'y sois plus ? Je l'ai peut-être rarement témoigné, mais je vous jure que j'ai toujours été enchanté de vous voir malgré nos légères prises de bec ici et là. Au fond, une famille parfaite, ça n'existe que dans les films. C'est seulement pour nous faire rêver. Tout est embelli et enveloppé de papier de soie pour nous rappeler à quel point notre existence à nous est minable. Ne me faites pas croire que le monde est heureux de se voir à chaque instant et que c'est rose dans toutes les familles !

Inconsciemment et parce que je ne suis pas encore habitué à ce mode de vie qu'est ma mort, je m'étire le bras pour tapoter l'épaule d'un oncle que je n'ai pas vu depuis des siècles ou je m'élance en direction d'un cousin pour le saluer jusqu'à ce que je réalise que tout cela ne sera plus possible désormais. Je ne fais plus partie de vos vies.

C'est tout de même émouvant de vous voir tous rassemblés à cause de moi, je dois l'admettre.

Il y en a quelques-uns parmi vous que je n'avais pas vus depuis des lustres.

Oncle Henri, par exemple, il y a si longtemps que je ne l'avais pas croisé. Il a tellement vieilli que les cheveux qui lui restent ont perdu toute leur couleur et leur vivacité. Ils sont devenus blancs comme neige. Et son dos qui se courbe de plus en plus.

Dire qu'il a connu la Seconde Guerre mondiale!

Pour être honnête, c'est une fois de l'autre côté que je m'attendais à le revoir. Il doit bien avoir cent ans!

En aucun cas je n'aurais pu imaginer partir avant lui. Le pire dans tout ça, c'est qu'il a l'air en forme et heureux! Vieille branche.

Je me demande bien c'est quoi son secret. Je n'aurais jamais pu me rendre à son âge. Il en a tourné, des pages sur son calendrier. C'est à se demander si les calendriers existaient quand il est venu au monde. Il me semble qu'il était déjà vieux quand je l'ai présenté à ma femme pour la première fois. Il a tout de même toujours été très serviable, le grincheux. Je lui empruntais souvent sa voiture pour aller chercher ma tendre épouse. Sa vieille Chevrolet 1967. Je pouvais à peine me permettre d'acheter quelque chose à nous mettre sous la dent, encore moins un toit à nous mettre sur la tête. J'étais loin de pouvoir faire le tour des concessionnaires pour nous trouver de quoi nous déplacer convenablement.

Ce bon vieil Henri. Il m'aura toujours semblé préhistorique, mais c'est un gentil dinosaure. C'est le doyen du côté de mon père.

Et tante Louise, ça faisait un bail qu'elle n'avait pas mis les pieds dans ma maison. Je parie qu'elle ne se souvient pas du nom de mes enfants. Elle va être surprise de voir à quel point ils ont grandi. Ce sont des adolescents maintenant, bientôt des adultes. Moi-même, je n'avais pas remarqué à quel point ils sont devenus matures. Il faut bien que je les regarde de haut pour m'en rendre compte. Ils font tous les quatre au moins une tête de plus que Marie. C'est sûr qu'elle n'est pas très grande, mais tout de même.

Pauvre tante Louise, elle semble détruite. Il faut dire que son cancer ne l'aide pas non plus et que sa simple présence doit lui demander un effort considérable. Son visage est ravagé par le temps et la maladie. Ses cheveux se sont envolés avec le vent de traitements qu'elle doit subir chaque jour pour rester en vie. Elle n'avait pas besoin d'une nouvelle comme celle-là, comme personne d'autre de ma famille en fait. Elle tient sa vie à bout de bras, c'est normal qu'elle soit épuisée. Elle aura fait du bénévolat pour l'hôpital toute sa vie, mais ça ne l'aura pas empêchée de s'y retrouver, couchée sur une civière à attendre qu'on lui administre ses médicaments.

Nous étions si proches, elle et moi, il y a de cela quelques années. Je n'arrive pas à me rappeler ce qui a fait en sorte que nous nous soyons perdus de vue si longtemps.

J'adorais sa présence, et les enfants, encore tout petits, l'appréciaient davantage. En un rien de temps, elle est presque devenue étrangère à nos yeux. Du jour au lendemain, elle a cessé de répondre à mes appels, de venir nous rendre visite et de nous donner signe de vie. La dernière fois qu'on s'est vus, notre quatrième était encore au biberon.

Je crois que c'était lors d'un rassemblement familial pour les fiançailles de son fils, Antoine.

« Antoine, c'est avec un grand plaisir que nous sommes rassemblés ici pour célébrer tes fiançailles avec… Matthieu ! »

C'est à ce moment précis que sa tête s'est tournée vers moi, qui étais assis deux rangées derrière elle, et que nos regards se sont croisés pour la dernière fois avant qu'elle baisse les yeux et fixe le sol pour le restant de la cérémonie.

Elle a dû subir les commentaires et propos désobligeants du reste de la famille, j'en suis persuadé. Je n'en reviens pas à quel point les gens peuvent être méchants et incompréhensifs. Je sais ce que c'est pourtant, dès que quelqu'un sort du rang, on le regarde différemment et on le juge.

Pauvre Louise, elle a simplement dû avoir peur que nous la montrions du doigt, Marie et moi, chose que nous n'aurions jamais faite de notre vie. Le reste de la famille s'en est éloigné par la suite comme si elle avait la peste. Tout le monde sauf nous. Mais elle s'est quand même refermée sur elle-même, puisque son alcoolo de mari venait tout juste de foutre le camp, incapable d'accepter que son propre fils soit heureux en étant amoureux d'un autre homme. Pour lui, c'était contre nature. Quelle mentalité d'arriéré !

C'est quand même triste, tout ça. Ils font tellement un beau couple, Antoine et Matthieu. Probablement plus solide que bien des couples d'aujourd'hui. Comme si moi, j'en avais quelque chose à cirer de ce qu'ils font dans leur chambre à coucher. Ils seraient prêts à tout l'un pour l'autre. Même à mourir.

J'ai toujours su que c'était un homme bien, Antoine. De tous mes cousins, je crois que c'est de lui que j'étais le plus proche. Je sentais qu'il avait quelque chose de particulier. Encore une fois, j'en ai la preuve quand je le vois entourer Marie de ses bras tellement grands qu'ils seraient capables d'envelopper la terre tout entière… Et tout ce bien qu'il fait autour de lui !

Depuis plusieurs années, Antoine est directeur général d'un organisme qui vient en aide aux jeunes de la rue. Il a toujours œuvré auprès des personnes dans le besoin.

Matthieu et lui accueillent aussi des enfants en difficulté dans leur maison, question de leur offrir un peu d'aide, et de donner une période de répit à leurs parents, ce qui est indispensable dans certains cas. Ces enfants sont ce qu'ils ont de plus beau. C'est leur manière à eux d'élever leur petite famille, comme ils ne peuvent pas vraiment se permettre l'adoption. Chaque fois qu'un de ces enfants repart, ils ont le cœur brisé. Ils font les plus merveilleux papas du monde.

Antoine est un homme charmant et honorable, et son Matthieu l'est tout autant. Ils ont une telle grandeur d'âme. J'aurais tellement aimé donner au suivant comme ils le font.

Quoique je l'aie fait, moi aussi, à ma manière.

J'étais propriétaire d'un restaurant depuis treize ans. J'ai tout fait pour puiser l'énergie nécessaire pour faire fonctionner une entreprise comme celle-là. Tout le monde me trouvait complètement débile, estimant que j'étais déjà bien occupé avec mon emploi de facteur. Mais comme je terminais mes journées vers quinze heures au bureau de poste, cela me laissait toutes mes soirées pour être restaurateur. Inconscient!

Comme si huit heures de travail quotidiennement ne suffisaient pas. J'avais commencé comme livreur au restaurant du coin de la rue de l'Église et de la 14e Avenue et, quelques années plus tard, j'ai décidé de me réorienter, puisque c'est dans la cuisine que j'avais réellement envie de travailler. J'avais fini par m'habituer aux langues sales qui ne venaient au restaurant que pour se tenir informées de ce qui se passait dans le village.

Dès que je terminais la distribution du courrier, je revenais à la maison pour préparer le repas pour ma femme et mes enfants, et je filais au restaurant pour commencer mon deuxième quart de travail de la journée, excluant celui de père de famille. J'étais entreprenant et travailleur, ça, je le reconnais. Je voyais grand, peut-être même un peu trop. J'aurais dû me contenter d'un emploi stable et d'un peu moins de valeur mobilière, mais de la possibilité de profiter de plus de temps de qualité avec les miens. J'ai un peu négligé ma troisième vocation, celle de père. J'étais plutôt papa à temps partiel. Comme si ce n'était pas assez, en 1996, j'ai fait construire un restaurant digne des plus grands chefs cuisiniers et des plus grandes tables.

Malheureusement, quelques mois plus tard, j'étais obligé de mettre la clé dans la porte. Il y avait trop de personnes jalouses de mon bonheur, je suppose, et comme les prix étaient excessivement bas et les assiettes ridiculement démesurées, cela m'a conduit directement à la faillite. Personne n'a fait quoi que ce soit pour m'aider, au contraire. On s'amusait plutôt à me dire que j'allais me retrouver à la rue avec toute ma marmaille. Nul besoin de préciser que j'ai tout fait en mon pouvoir pour que cela n'arrive pas. Jamais je n'aurais accepté que ma famille souffre de mon obsession pour le travail ou de mes idées de grandeur.

On m'a toujours dit qu'il fallait bûcher fort pour réussir à s'en sortir dans la vie. Ça n'a pas été facile en revanche. Tout ce que j'avais accompli dans le but d'avoir un jour ma place au soleil venait de s'écrouler.

J'ai dû, malgré mon dos qui se courbait de plus en plus, continuer à occuper deux fonctions en même temps. Celles-ci m'ont mené très loin de mes passions, mais ont tout de même permis à ma famille d'avoir un toit sur la tête et de quoi manger trois fois par jour.

Mon beau-père m'a beaucoup aidé aussi, heureusement. Grâce à son carnet de chèques, j'ai pu me sortir la tête de l'eau pour respirer un peu et ensuite me remettre les deux pieds sur terre, pour un certain temps.

Je ne sais pas comment j'ai fait pour rester debout pendant cette période. S'il y a un moment où je me suis senti faible devant ma femme et mes enfants, c'est bien celui-là. J'étais tellement impuissant face aux revers de ma vie. Je me demandais constamment comment j'allais faire pour me sortir de ce pétrin-là. Quand tes deux pieds sont enfouis dans le sol, que tu te sens coincé et que la seule solution possible serait de continuer à creuser jusqu'à te retrouver six pieds sous terre, c'est difficile d'en revenir.

J'ai décidé de me relever les manches et de m'accrocher.

En 1997, je suis allé voir un vieil ami pour lui demander de m'aider à ouvrir un autre restaurant, mais cette fois-ci, beaucoup plus petit et raisonnable… Malgré ma faillite et mon mauvais crédit, il m'a fait confiance et a fait en sorte que j'aie l'équipement nécessaire pour me hisser hors de mon trou. À ce moment, qui aurait cru que c'est mon petit casse-croûte improvisé dans le fond du garage, annexé à notre maison, qui allait plus tard nous sauver la vie ?

Devrais-je dire sauver la vie de ma petite famille ? Car, pour moi, tout ce que ça a fait au fil des ans, c'est de me plonger la tête et le corps dans une fatigue qui a eu le dessus sur ma raison.

En peu de temps, mes petites fins de semaine de congé ici et là n'ont plus suffi à mon esprit pour récupérer. Je n'arrivais même plus à penser. J'avais du mal à me lever le matin tellement je me sentais épuisé. Je me suis mis à détester mes gagne-pain puisqu'ils m'éloignaient de ma famille et de moi. Ma vie n'avait plus de sens et mes idées étaient devenues si embrouillées qu'elles se bousculaient sans cesse dans ma tête. Très vite, c'est la noirceur qui l'a envahie. Une longue nuit, la plus longue de toute ma vie. Une nuit qui a duré près de six ans. Une foutue dépression qui m'aura fait descendre si bas que je n'en suis jamais revenu.

Pendant ce temps, je n'ai jamais cessé de penser à mes proches. Malgré tout, j'ai continué à offrir la fourchette aux plus démunis chaque fois que l'occasion se présentait, et ce, souvent aux dépens de ma propre famille. Au moins, ça m'a permis de me faire beaucoup d'amis et de m'entourer de gens sur qui je pouvais compter en tout temps.

Il faut bien que je l'admette, des amis, j'en ai eu à la tonne, et dès qu'ils ont appris mon départ, ils sont venus à tour de rôle pour réconforter ma femme et mes enfants.

Bon, il y en a quelques-uns là-dedans que je ne considérais plus nécessairement comme des amis, mais c'est entièrement leur faute, ils me devaient de l'argent. J'en ai manqué à plusieurs reprises, moi aussi, mais je n'ai jamais mangé sans payer. C'est d'autant plus insultant quand on connaît la vie des gens et qu'on sait très bien qu'ils font un bon salaire, mais qu'ils passent leurs jeudis soir assis devant une machine à sous, pour finalement manquer d'argent le lundi suivant et se commander une pizza à crédit. Je gagnais à peine de quoi nourrir ma famille et payer toutes mes dettes et je trouvais toujours le moyen de dépanner et de prêter de l'argent à qui en avait besoin. Je préférais de loin le donner plutôt que d'en profiter moi-même. Pendant toutes ces années, plusieurs ont aussi abusé de ma générosité. Je ne devrais peut-être pas parler comme ça puisque ce qui est fait le restera. Ça ne changera en rien la situation et n'améliorera pas mon état. Mais c'est quand même moi que ça a conduit à la morgue, pas eux!

Foutue rancune, je ne me débarrasserai donc jamais de ça. Au moins, ils sont venus offrir leur soutien à ceux que j'aime… Et en fin de compte, on ne l'emporte pas en terre, notre argent.

Avez-vous déjà vu un coffre-fort suivre un cor-billard? En plus, pas besoin d'un coffre-fort pour ranger quelques pièces de monnaie. Le fond de la poche d'un vieux jeans suffit.

Et puis, qu'est-ce que je peux y faire maintenant que je n'y suis plus : les collecter de l'au-delà ? Envoyer un huissier cogner à leur porte un beau samedi matin ?

Ce que j'ai le plus de mal à digérer, c'est que, cet argent, j'aurais aimé le léguer à Marie et aux enfants, au lieu de leur laisser un tas de dettes qui traînent depuis des mois et des mois. Au moment de mettre fin à mes jours, j'avais tellement tout négligé que j'arrivais à peine à en payer les intérêts. J'y allais de manière compulsive dans mes achats ces derniers temps, comme pour oublier que je travaillais comme un défoncé et que je voyais ma vie filer entre mes doigts sans même pouvoir en profiter.

Je n'aurais pas pu amasser de quoi payer mes obsèques, si ça se trouve. De toute façon, une vieille boîte de carton serait à la hauteur de mon estime de moi en ce moment.

Tout ce que j'ai laissé à ma tendre famille, c'est un souvenir. Une photo de famille dans la descente d'escalier qui mène au sous-sol de la demeure que Marie aura payée avec ses propres économies. Une photo qui date de dix ans déjà en plus. Nos souvenirs ont pris de l'âge. J'avais de vieux vêtements, une coupe de cheveux démodée et Léa dans mes bras. Tout ce qu'on voit en arrivant au sous-sol, c'est un paquet de vieilles boîtes. Voilà tout ce que ces années de dur labeur m'auront permis d'accumuler pour eux, malheureusement.

PIÈTRE HÉRITAGE

31 AOÛT 2003

Tous ces souvenirs ne me quitteront donc jamais. J'y suis tant attaché! Cette maison en déborde. À l'extérieur, il y a ce pin que j'ai planté de mes mains la veille de la naissance de François. Aujourd'hui, c'est un homme, mon fils. Il a de la colonne!

Ce pin, c'est un arbre mature. Il a du tronc!

Et cette maison, elle est remplie d'images toutes aussi impérissables les unes que les autres. Je disais souvent aux enfants de sauvegarder des moments de leur vie dans leur mémoire, n'ayant pas souvent d'appareil photo à portée de la main. Qu'allez-vous faire de tous ces clichés maintenant que je n'y suis plus?

J'espère que vous ne vous attendez pas à découvrir le gros lot en ouvrant mes boîtes. J'aime autant vous le dire tout de suite, vous n'y trouverez qu'un amas de vieilles affaires inutiles, mais qui représentaient énormément pour moi à un moment ou un autre de ma vie.

Combien de temps allez-vous garder mes albums de photos, mes habits, mes cassettes vidéo? Mon bracelet en or, le seul cadeau que je me suis offert en quarante-deux ans. C'est con, je n'ai jamais osé le porter. Je l'avais payé tellement cher! Je n'ai jamais pris la peine de me gâter.

Est-ce que mon souvenir deviendra lourd avec le temps? Allez-vous avoir envie de changer d'air? Est-ce qu'un simple coup d'œil au portrait familial dans l'escalier vous laissera un goût amer?

Dites-moi donc: de combien de temps aurez-vous besoin avant d'afficher un petit sourire en coin lorsque vous vous remémorerez mes bons coups et non mes échecs substantiels? Je dois savoir. J'ai peur qu'on m'oublie. J'ai peur de devenir aussi inutile qu'un vieux cheval de bois qu'on range au fond d'un grenier ou qu'un manteau d'hiver en juin. Je redoute le jour où vous n'aurez qu'une petite pensée pour moi le 28 août, par principe. Le jour où je vous ai abandonnés. Je n'ai pas envie de réaliser qu'un jour la fête des Pères ne voudra plus rien dire pour mes enfants. J'ai tout aussi peur du moment où Marie aura de nouvelles dates à marquer dans son calendrier. Celle où elle aura rencontré son nouveau copain, celle où il lui aura offert une nouvelle bague à mettre à son doigt pour remplacer le toc que je lui avais donné dans le temps. Ce que je désire le plus, c'est qu'elle soit heureuse, bien sûr, mais il y a quand même quelque chose à l'intérieur de moi qui fait que j'ai envie de fermer les yeux sur ces éventualités.

J'espère au moins que certains passages resteront gravés dans votre mémoire.

Des souvenirs heureux avec mes enfants et ma femme, j'en ai des tonnes. La différence, c'est que moi, je n'ai que ça à faire, les repasser en boucle dans ma tête. Vous, vous devez vivre. Vous n'aurez bientôt plus le temps de vous souvenir de nos fous rires et de nos éclats de bonheur passés. Nous avons jadis été une famille unie. Je me rappelle ces journées extraordinaires qui étaient réservées uniquement à nous six. Dès le matin, nous prenions un bon petit-déjeuner. Je me levais avant tout le monde pour vous le préparer avec amour. C'est l'odeur du bacon fumé qui vous réveillait, qui vous incitait à vous lever et à venir me rejoindre dans la cuisine. Nous prenions notre temps pour manger et savourer un bon café. Ça me permettait d'oublier la semaine de fou que je venais tout juste de terminer, en attendant d'en recommencer une autre dès le lendemain matin. Ensuite, nous partions en voiture et nous allions nous promener pendant des heures. Nous aimions aller voir les quartiers de maisons de gens qu'on disait riches. Ça nous faisait rêver un peu, car nous savions pertinemment que nous ne serions jamais en mesure de nous offrir quelque chose de semblable. Les enfants se chamaillaient, cordés sur la banquette arrière de notre vieille voiture, preuve qu'ils étaient bien vivants. Ça a duré longtemps comme ça !

Jusqu'à ce que Julien ait sa première voiture, qui était beaucoup plus en état de rouler que la nôtre. Que François ait sa propre chaîne stéréo, beaucoup plus puissante que notre vieille radiocassette. Que Frédéric achète son ordinateur, chose qu'on n'aurait jamais eu les moyens de s'offrir, et que Léa choisisse elle-même les vêtements qu'elle désirait acheter pour ne les porter qu'une fois ou deux avant de les suspendre à jamais dans son immense penderie.

Tout ça est arrivé tellement plus vite que prévu. On ne nous y avait pas préparés. On nous a répété souvent d'en profiter et que c'était éphémère, mais je ne l'aurais jamais cru à ce point ! Hier encore, je devais me lever en pleine nuit pour vous bercer et vous donner le biberon. Hier encore, j'étais essentiel à vos vies. J'aurais dû en profiter, ce n'était pas compliqué, ce temps-là. Aujourd'hui, j'en ai deux qui ont leur permis de conduire et les deux autres suivent de très près. Je ne peux pas vous en vouloir, je suis passé par là, moi aussi. Dès que j'ai eu le droit de conduire la voiture de mon oncle, je n'ai plus considéré mes parents que comme de simples géniteurs, beaucoup moins intéressants puisque je n'avais plus besoin d'eux pour me déplacer. À mon tour, je suis devenu vieux jeu avec les années. C'est vrai, qu'est-ce que vous en feriez, de ma vieille chaîne stéréo-cassette maintenant que les disques compacts existent ? Tous vos amis possèdent une grosse chaîne stéréo flambant neuve. C'est absurde d'imaginer que vous pourriez encore vous intéresser à la mienne.

Encore pire, à ma musique ! Cette musique que vous qualifiez de passée de mode et que j'écoutais en boucle pendant des soirées entières jusqu'à ce que vous n'en puissiez plus. Mes microsillons de Joe Dassin et de Johnny Cash.

Que se passera-t-il quand vous allez ressentir le besoin de faire le ménage dans mes affaires pour libérer de l'espace ?

Ma collection de vieux vinyles et mes cassettes huit pistes que j'ai tant écoutées. Je suis convaincu que vous n'aviez aucune idée que ces grosses cassettes pouvaient encore fonctionner aujourd'hui. Ça a déjà été à la mode pourtant, il n'y a pas si longtemps. Tout va tellement vite, normal que j'aie eu du mal à garder le fil. Bientôt, une petite boîte vous suffira pour y emmagasiner toutes vos chansons préférées. Tandis que moi, je passais de longues heures, seul avec mon gros juke-box. Quelles soirées extraordinaires c'était! Je ne peux m'imaginer que ça n'arrivera plus.

Mon placard est rempli de choses laides et inutiles. Mes vieux vêtements que je gardais depuis mon secondaire au cas où ils pourraient servir à nouveau. Ceux que je gardais pour les corvées. C'est absurde. Marie voulait m'emmener magasiner depuis des années. Elle disait que je devais à tout prix refaire ma garde-robe, et moi je n'en voyais pas la nécessité. J'estimais que c'était de l'argent lancé par les fenêtres, puisque les enfants grandissaient à vue d'œil et qu'il fallait renouveler leurs vêtements à eux. J'avais gardé tous mes vêtements, mais pas mon corps de jeune homme. La première chose qui a foutu le camp après l'adolescence, c'est ma taille de guêpe. Il faut dire que le mariage n'a pas aidé non plus. Je me suis vite retrouvé à porter de vieux chandails un peu trop courts avec des trous aux aisselles servant de bouches d'aération.

Tout le monde disait, en me voyant comme ça, en pleine expansion, que Marie devait merveilleusement bien faire la cuisine, ce qui était complètement faux. C'est moi qui cuisinais tout le temps. Avec le restaurant, je passais mon temps à manger de la friture sur le coin de ma table de travail, en vitesse, entre deux commandes. Il ne faut pas chercher plus loin.

Aujourd'hui, vous devez ramasser mes affaires et ça me fend le cœur. Mon garage déborde d'un paquet de vieux outils rouillés que je n'ai jamais su utiliser de mon vivant. J'ai encore moins eu le temps d'en enseigner l'usage à mes enfants.

J'espère que malgré tout ils sauront se débrouiller sans moi. Je sais ce que c'est puisque je n'ai jamais eu l'aide de mon père quand j'étais jeune et cela m'a manqué par moments. J'ai aussi dû m'arranger tout seul et j'en ai souffert. Ce sentiment d'impuissance devant une crevaison ou un bris de nature mécanique, je le vivais à répétition durant mon adolescence. Ça a fait en sorte que j'ai toujours détesté ce qui demandait une certaine habileté manuelle. Ça me puait au nez. J'ai des amis qui font tout par eux-mêmes, de leur vidange d'huile aux travaux de rénovation de leur maison. Ils sont complètement fous. Même si j'avais voulu, je n'avais ni le talent, ni la patience, ni le temps, ni l'intérêt pour ce genre de besognes.

Il y a des personnes qui gagnent leur vie et qui sont qualifiées pour faire ça. Elles se fendent en quatre pour y arriver, laissons-les travailler !

Moi, mes outils, ce sont des antiquités inutiles. Je n'ai même aucune idée de ce à quoi sert la moitié de ces trucs. Toutes ces boîtes débordent d'objets que vous ne pourriez même pas monnayer pour quelques pièces.

Tout ce que j'espère, c'est que vous y voyiez un peu de valeur sentimentale.

J'avais un vieux coffre à bijoux, caché au fond d'une armoire, derrière un tas de vieilles couvertures de laine qu'on gardait pour les soirées d'hiver lorsqu'on devait économiser le chauffage. Je ne sais pas si Marie se souvient qu'il est là! Peut-être pouvez-vous garder un petit quelque chose pour les petits-enfants que je n'aurai pas la chance de bercer?

Je me souviens que, lorsque j'avais six ans, ma mère m'a remis une petite breloque ayant appartenu à mon arrière-grand-père. Je la trouvais fascinante et empreinte d'histoire. Par les soirs de tempêtes si puissantes que les murs de la maison en tremblaient, je la serrais de toutes mes forces, ce qui m'apportait le réconfort nécessaire pour m'endormir.

Bien que je ne l'aie jamais connu, cet homme est devenu mon héros.

J'aurais tellement voulu être le héros d'un de mes petits-enfants.

Ça aurait pu être pour bientôt, en plus. Julien et sa copine sont ensemble depuis un bon moment, il me semble. Marie et moi, à leur âge, on caressait déjà le rêve d'avoir des enfants. Mon aîné a un bon emploi, il est vaillant.

Ça ne me surprendrait même pas que Karine soit déjà enceinte. J'aurais tellement voulu être là pour accueillir le premier bébé de la famille. Ce ne sera plus possible maintenant. Quand le temps sera venu, j'assisterai au baptême de là-haut, mais je vous verrai heureux en cette journée.

Moi, je n'aurai droit qu'à un petit salut occasionnel le soir avant qu'il se mette au lit et, si je suis chanceux, il me récitera une petite prière quand il voudra faire disparaître un mal de dents et des maux de ventre…

N'essayez pas de me faire croire le contraire, je le sais ! Je ne l'ai pas connu, moi, mon grand-père paternel ! Mais mon Dieu que je l'ai prié ! Pour à peu près toutes les douleurs, même celles que je m'inventais pour ne pas faire les corvées à la maison ! Je me disais que, si ma mère me voyait implorer les anges, ce serait plus crédible.

Elle disait : « Mon Dieu, ça doit lui faire mal pour vrai, il est en train de prier ! »

Je crois bien avoir légué de bonnes valeurs à mes enfants. Ils se débrouilleront sûrement quand viendra le temps d'élever leur famille. J'espère qu'ils seront de bons parents comme nous avons essayé de l'être pour eux. Nous avons fait du mieux que nous pouvions, avec les moyens que nous avions.

Ils seront probablement plus présents et plus démonstratifs que je ne l'ai été, ce qui ne sera pas difficile. J'ai du mal à me souvenir d'un seul moment où je leur ai dit que je les aimais. Je me suis tellement acharné à leur enseigner qu'il fallait travailler pour obtenir ce qu'on veut que j'ai omis de leur dire qu'il n'y a pas que cela qui importe. Pourvu que cette carence affective ne ternisse pas leur envie de fonder une famille.

Toute ma vie, j'ai cru avoir veillé à ce que mes enfants ne manquent de rien. J'ai essayé tant bien que mal de me déculpabiliser en leur achetant des consoles de jeux vidéo et des gadgets électroniques que je trouvais dans des marchés aux puces, afin de leur faire oublier que je n'étais jamais à la maison. Mais je peux vous jurer qu'à chaque moment je pensais à eux.

Ce sang d'encre qu'on se fait quand un de nos enfants ne rentre pas à l'heure demandée. Ces soirs où l'on a le pressentiment que quelque chose de grave leur est arrivé. Je le vivais constamment. Le lien de sang qui lie les membres d'une même famille est extrêmement puissant. Je pouvais ressentir chaque souci à des kilomètres à la ronde.

J'ai toujours admiré ceux qui s'occupent d'enfants qui ne sont pas les leurs, comme le font Antoine et Matthieu. Ils doivent établir un lien de confiance et de stabilité avec de petits êtres farouches qu'on a trop souvent blessés. Ce n'est pas donné à tout le monde d'avoir des enfants, j'en suis conscient. Je croyais bon de subvenir à tous leurs désirs quand tout ce dont ils avaient réellement besoin, c'était un père. J'en ai été un, bien sûr! Mais pas assez longtemps… Mon bébé n'a que quatorze ans. Ce n'est qu'une enfant. Elle est assez vieille pour comprendre ce qui se passe, bien entendu, mais pas encore assez forte pour affronter toute seule ce qui s'en vient. Je les ai laissés au beau milieu de l'adolescence. À cette période étrange d'une vie où l'on se cherche, où l'on a besoin d'une présence, masculine ou féminine, d'un modèle. Je les ai largués au beau milieu d'une tempête, d'un brouillard.

Je sais qu'il est trop tard, mais je regrette…

J'espérais tellement être un exemple à suivre pour mes enfants. En ce moment, je souhaite tout

45

le contraire. La dernière chose que je voudrais serait qu'ils suivent les traces de leur père, et c'est Marie qui aura la lourde tâche de s'en assurer.

Ce ne sera pas facile, c'est certain. S'il faut que l'un d'eux ait la moitié du caractère que j'avais, elle n'est pas sortie du bois.

Je n'ai facilité la vie à personne. Je ne sais pas d'où ça vient, car mes parents se sont toujours laissé manger la laine sur le dos. Moi, j'ai toujours eu un sale caractère. C'est sans doute à force de les voir aller que je me suis dit que je ne ferais pas comme eux. J'ai décidé d'en faire à ma tête et de mener ma vie comme je l'entendais, sans écouter les conseils de qui que ce soit. J'avais la chance d'être entouré de gens qui ne voulaient que mon bien. J'étais convaincu que je détenais la vérité absolue.

Si c'était le cas, je saurais où je suis en ce moment et pourquoi j'y suis.

Comment vais-je faire pour vous indiquer le chemin pour qu'on se revoie un jour?

Premier nuage à gauche?

Ce serait totalement égoïste de dire que j'ai hâte de vous revoir. Je ne peux pas avoir hâte que quelqu'un... meure.

Je ne me comprends plus, je ne suis plus sûr de rien.

Tout ce que je sais dorénavant, c'est que tout est vide par ici. Silence radio... Il n'y a que vous qui êtes bien vivants, quoique en pleurs depuis les trois derniers jours.

Je vous vois courir à vous en essouffler pour tout décider. La date, l'heure, le buffet, les vêtements, la pierre tombale, l'épitaphe, le célébrant, les chants, la couleur du cercueil, les fleurs qui vont l'orner, le signet que vous allez remettre en guise de souvenir et de remerciements aux gens qui auront bien voulu se déplacer pour moi. Les prochaines heures vous occasionneront bien des migraines. Elles seront ternies par les larmes, les nuages gris, l'absence de sommeil et la fatigue insoutenable qui inciteront les idées noires à prendre racine dans vos têtes. Les seules traces de couleur seront dans vos yeux rougis et dans les cernes mauves qui se dessineront juste en dessous. Moi, je ne peux que vous regarder faire. Me laisser foutre en terre puisque je me rends bien compte que vous m'aimiez beaucoup trop pour abandonner mon enveloppe corporelle.

Pendant que vous vous obstinez à choisir qui lira les prières universelles, qui me portera jusqu'au parvis de l'église et qui me rendra un dernier hommage demain après-midi, je veux vous dire merci.

Merci de ne pas me délaisser à votre tour.

Requiem d'un soir d'orage

1ER SEPTEMBRE 2003

C'est une journée grise à Sainte-Madeleine-des-Monts, en dehors comme en dedans. Les cloches ont résonné très tôt ce matin, annonçant à tout le monde que c'est aujourd'hui la dernière chance de voir le peu de chair qu'il me reste sur les os. Il pleut des cordes. Le brouillard est si dense que, de la maison, on a peine à percevoir l'église qui nous a pourtant servi de paysage de carte postale pendant toutes ces années. Les villageois crient jurons et blasphèmes en se rendant au salon funéraire puisqu'ils doivent marcher sous cette pluie battante pendant de longues minutes pour venir me faire leurs adieux. Il y a des voitures garées en bordure du chemin devant chez moi et jusque sur le haut de la côte devant la vieille église, qui n'aura jamais reçu autant de monde depuis la dernière messe célébrant la naissance de l'Enfant-Roi. Les fleurs qu'on a installées sur le perron de l'église n'auront pas le temps de m'accueillir avant de rendre l'âme à leur tour tellement les vents violents leur mènent la vie dure. Le mauvais temps est présage d'une journée chargée en émotions. Préparez-vous pour un tour de montagnes russes. Pendant ce temps, je jouerai la bête de cirque. Ce matin défileront devant moi parents et amis, voisinage et connaissances, et bien sûr curieux et hypocrites.

Je ne reconnais pas la moitié des personnes qui se présentent devant ma dépouille depuis l'ouverture des portes. On jurerait que les gens sont venus assister à un spectacle. Serait-ce que ma mémoire a oublié tout ce monde avec le temps ou n'aurais-je jamais vraiment eu de lien avec la plupart d'entre eux ? Peut-être aussi que mon cerveau a seulement fait un tri naturel.

Il y a un tel mélange de parfums ici que ça me donne mal à l'âme. J'ai l'impression aussi que la moyenne d'âge est d'environ cent cinquante ans. C'est probablement moi le plus jeune de toute l'assemblée…

À tour de rôle, les vieux habits qui sentent la boule à mites passent devant ma petite famille en larmes pour lui offrir condoléances et mots d'encouragement, ce qui semble être le seul point positif que je suis capable d'accorder à cette journée infernale. Des inconnus s'arrêtent devant moi et font un petit signe de croix en se demandant s'ils doivent toucher leur épaule gauche ou celle de droite en premier tellement leur dernière visite en ces lieux remonte à loin. Il faut dire que ce n'est pas tous les jours que le salon funéraire ouvre ses portes dans notre petite municipalité tranquille.

Je m'attendais à recevoir de petites prières en guise de réconfort. À la place, j'ai droit à de courtes phrases mémorables, croustillantes et légèrement déplacées que j'ai pris soin de noter. Alors voici pour vous mon top dix des meilleures remarques qu'on m'ait faites.

Avertissement : c'est mortel ! N'essayez pas ça à la maison…

— Regarde son habit, où crois-tu qu'ils l'ont acheté ? Je voudrais le même pour grand-père. Est-ce que tu crois qu'ils vont le vendre après la cérémonie ?

— Tu avais raison, chérie, je ne l'ai jamais vraiment connu finalement. Je préférais son frère aîné.

— Roger, es-tu certain qu'on est dans la bonne cérémonie ? Ne me dis pas que j'ai pris congé au boulot pour rien.

— Dire que je lui devais de l'argent et que je n'aurai jamais eu le temps de le lui remettre… Dommage !

À celle-là, j'ai eu envie de m'asseoir dans mon cercueil et de lui répondre : « J'ai toute l'éternité pour calculer les intérêts et je sais où tu habites. »

— Il était tellement généreux…

— C'était un bon gars…

— Il aura travaillé toute sa vie pour en finir là…

— Il est parti si jeune… quarante-deux ans, ce n'est pas vieux…

— Ils l'ont bien réussi, ne trouves-tu pas ?

Et la fameuse phrase gagnante :

— Est-ce que tu crois qu'ils ont fait préparer un lunch ?

Évidemment, une fois que tout le monde a fini de se succéder, les convives se réunissent entre amis dans un coin de la pièce qui empeste la mort. Formant de petits groupes, tels des gangs de rue, ils bavassent dans le dos des gens de l'autre coin du salon funèbre. Ainsi soit-il, jusqu'à ce qu'on me jette en terre.

Dehors, il fait froid. Les feuilles sont prématurément projetées du haut des arbres par le vent qui souffle. On a droit à des températures en dessous des normales saisonnières. Un froid que je n'ai pas provoqué, je vous le jure. C'est l'automne avant le temps.

Tous recueillis autour de mon corps mort, vous récitez une dernière prière que je ressens de plus en plus fort. Je commence à comprendre et à concevoir que c'est la dernière fois que ma peau est exposée à la lumière du jour. Dans quelques instants, ce sera la noirceur totale. Sous peu, vous aurez refermé le cercueil pour me conduire vers le repos éternel. Les uns après les autres, vous venez me faire une dernière accolade, laissant ruisseler une mer de larmes sur le maquillage qu'on m'a si soigneusement appliqué. Les yeux scellés, je revis chaque instant heureux que j'ai passé en votre compagnie puisque vous me les racontez à tour de rôle au creux de mon oreille, sachant très bien que c'est la dernière fois que vous pourrez le faire. De minuscules « Te souviens-tu, papa ? » qui apaisent ma douleur.

Gentiment, pour ne pas me laisser le cœur en miettes, vous me faites croire que j'ai été un peu plus présent que je le croyais et que j'ai tout de même joué un rôle important dans le grand film de vos vies. Les images défilent dans ma tête à toute vitesse. Je n'ai même pas le temps de m'arrêter pour savourer un moment que déjà un autre a pris la place. J'espère que vous ne doutez pas que je vous entends.

Je sens vos mains posées sur les miennes pour la dernière fois, je profite des derniers rayons de lumière puisque, dans quelques minutes, je me paye un tour de Cadillac noire. Comme dans ces films où le bon gars se retrouve dans le coffre arrière de celle-ci.

Et pourquoi faut-il toujours qu'il pleuve lorsqu'on suit un corbillard? Pourquoi n'est-ce pas à vous qu'on donne un *lift* pendant que la pluie déferle sur ma grosse boîte grise et bleue? Je n'aime pas vous voir marcher les uns à la suite des autres, la tête basse, comme du bétail qu'on aurait sauvagement condamné à l'abattoir, pendant que moi je suis confortablement installé dans de la soie.

Vous devriez tous être au travail en ce moment. La vie devrait suivre son cours comme si rien ne s'était passé. Quelle idée de faire cette cérémonie en pleine semaine! Si c'est pour faire en sorte que je ne sente pas trop mauvais, rassurez-vous et allez renifler quelques manteaux de fourrure qui se pavanent depuis ce matin. Croyez-moi, c'est atroce.

Excusez-moi, serait-ce possible de laisser mon cercueil entrebâillé? J'ai toujours eu peur du noir. Enfant, dès que les derniers faisceaux de lumière quittaient ma chambre le soir, je m'enfouissais la tête sous mes couvertures jusqu'au lendemain matin. Je m'imaginais toutes sortes d'histoires. Le plancher de ma chambre était en vieux bois de grange et les murs craquaient au moindre coup de vent. Ma mère utilisait mon lit pour plier son linge après ses longues journées de corvées. Quand elle entrait dans ma chambre, elle s'éclairait d'une petite lampe à huile qui projetait juste assez de lumière pour me permettre de desserrer la mâchoire. Malheureusement, elle avait trop peur que je mette le feu pour me la laisser toute la nuit. Ce n'était qu'une question de temps avant que je sois plongé dans le noir à nouveau. J'ai toujours détesté la nuit. Je devrai m'y habituer lorsqu'on aura refermé mon couvercle.

En plus, il fait chaud là-dedans! De l'air, s'il vous plaît. Et si je n'avais plus envie d'y être? Si j'avais envie d'en ressortir finalement? Rapidement, je me sens devenir claustrophobe.

L'eau de la rivière Sainte-Madeleine monte à vue d'œil. C'est le déluge.

J'ai déjà fait couler assez d'eau sur vos visages ces derniers jours, il me semble.

J'ai tout fait pour pousser le soleil à se lever ce matin. Comme dans le temps où il plombait à nous en rougir la peau.

S'il vous plaît, mon Dieu, juste un peu de soleil.

Je croyais pouvoir provoquer ce genre de choses une fois de l'autre côté, de toute évidence, ce n'est pas le cas. Je ne suis maître de rien, en fin de compte. Pas le moindre pouvoir surnaturel ou décisionnel en vue. Incapable de faire bouger des objets ou de déclencher un tremblement de terre. Peut-être que c'est mieux ainsi parce que laissez-moi vous dire que vous m'auriez senti. Chaque jour de vos vies. Vous auriez dit: «Il n'y a pas de doute, il est là.» La terre se serait mise à trembler chaque fois que j'aurais eu envie de vous témoigner ma présence.

J'ai entendu plus de prières en ce premier jour de septembre que dans ma vie entière, je crois… Que suis-je censé en faire ? Me laisser guider par le son de vos voix, qui implorent le salut de mon âme déchue ? Vos prières sont aussi différentes et inusitées les unes que les autres. On jurerait que vous les inventez au fur et à mesure. On ne m'a pourtant jamais dit qu'on avait le droit de faire ça. J'aurais pu prier bien plus souvent, avoir su. Je n'avais tellement pas de mémoire, ça me décourageait de devoir apprendre par cœur toutes ces phrases préfabriquées. Si j'avais su que je pouvais dire ce que je voulais.

Vos prières, je les emporterai avec moi dans ma tombe. Même celles qui m'ont déchiré de l'intérieur.

La seule demande que ma Marie a eu la force de me faire, c'est de l'aider à rester debout. De lui donner la volonté nécessaire pour résister à l'envie de venir me rejoindre. Avec le peu de pouvoir qui me reste, j'y veillerai.

Il y a longtemps que je n'ai pas prié, mais mon Dieu, je m'en remets à vous.

Même si je vous ai négligé de mon vivant, je crois en vous. Je sais que vous existez même si je ne suis pas venu vous rendre visite souvent ces dernières années.

Suis-je le seul à trouver étrange qu'on ne l'ait jamais vu nulle part ? Personne ne sait à quoi il ressemble, mais tout le monde l'implore pour les petits comme les gros bobos.

La vieille église sur le haut de la côte…

Tu parles d'un endroit bizarre pour vivre. C'est bien trop grand pour une seule personne. Et ça doit lui coûter une petite fortune en électricité en plus. C'est pour ça que les gens vont lui rendre visite tous les dimanches. Il en profite pour passer le chapeau, question de l'aider à couvrir les frais. Il n'a pas beaucoup de sous, je crois… Et malheureusement, on lui rend de moins en moins visite. Bientôt, il sera tout seul pour chauffer cette vieille église.

Il y a des lunes que je n'ai pas mis le pied chez lui. Doit-on utiliser un mot de passe pour y entrer ? Est-ce qu'il y a un code vestimentaire ?

Tout le monde est arrivé avant moi. Pour m'accueillir en roi ou pour regarder celui qui s'est enlevé la vie défiler dans la grande allée sur ce plancher froid qui craque sous le poids de mon cercueil. Vous êtes tous beaux et chics dans vos habits et vos tailleurs. Ça manque un peu de couleur en revanche. Il y a une seule ligne directrice en ce qui a trait aux vêtements, et c'est le noir.

Vous êtes-vous tous appelés avant ou quoi ?

Pour l'amour du ciel, est-ce que quelqu'un peut me dire ce qui sent si mauvais ici ?

Ça sent la mort. Pas étonnant que les visites se fassent rares dans cet endroit et que les gens n'y reviennent généralement qu'une seule fois par année, par obligation. Ça empeste l'encens et le péché. C'est froid et humide. Je l'avais bien dit qu'il allait devoir couper sur le chauffage à un moment ou un autre. Je ne peux pas croire que nous célébrons la naissance d'un enfant au même endroit que la mort. C'est insensé! Non, mais pensez-y! On célèbre notre venue sur terre en nous aspergeant d'eau bénite et en nous disant: «Profitez-en bien, car dans quelques années on vous encensera au même endroit.»

Je suis croyant bien entendu puisqu'on m'a élevé ainsi, mais je n'ai jamais pratiqué tant que ça. Les rares fois où je suis entré dans une église, c'était pour célébrer les nombreux mariages qui se sont terminés en divorce pour la plupart, et évidemment les nombreux départs aussi. Je me rappelle à quel point je détestais venir ici. Je crois que je préférais aller chez le dentiste. Aujourd'hui, c'est moi qui vous fais subir ce fardeau. Vous n'y êtes pas obligés, vous savez?

Je n'ai jamais imposé quoi que ce soit à mes enfants. Je leur ai toujours enseigné la débrouillardise, mais jamais je n'aurais pris de décisions à leur place.

Bon, parfois je suggérais fortement, peut-être, mais je suis de ceux qui croient très fort en l'instinct.

Mes enfants en auront besoin à partir de maintenant.

Je ne peux pas dire que j'ai eu cette chance, moi. Mes parents croyaient que le fait de me forcer à assister à la messe une fin de semaine sur deux allait nécessairement me contraindre à devenir un bon chrétien pratiquant. Première bêtise de leur part, puisque ça m'a seulement donné envie de partir de la maison très jeune afin d'être en mesure de faire mes propres choix et de commencer ma vie d'adulte.

Ils ont eu tort sur plusieurs points. Ils étaient même parfois à des années-lumière de la vérité.

Et le prêtre… La plupart du temps, il ne nous reconnaît qu'une fois que nous avons dûment payé notre dîme. Il n'est pas plus saint que vous et moi, celui-là.

Pour ma grande sœur, Johanne, c'est tout le contraire. On dirait qu'elle éduque ses enfants à l'ancienne. Elle est restée avec cette mentalité que nos parents avaient jadis. Jamais elle ne laisserait ses petits prendre la moindre décision par eux-mêmes.

J'ai toujours été son petit frère protecteur. Elle était une enfant extrêmement timide et renfermée, et j'étais son seul ami. Elle me confiait tout. De ses états d'âme à ses secrets les plus intimes. Elle a été la dernière à quitter la maison familiale. On pensait tous qu'elle allait rester avec maman toute sa vie. Elle a fini par rencontrer quelqu'un et avoir des enfants et elle s'en tire très bien finalement. Ils sont bien habillés, ils semblent polis et bien élevés.

Ils ont surtout l'air subjugués devant mon cercueil. Probablement qu'ils se demandent ce que je fais là et pourquoi j'ai dormi toute la journée devant tout le monde au salon funéraire. Ils doivent en fait se demander pourquoi tout le monde pleure de me voir dormir ainsi…

— Johanne, est-ce que tu m'entends ?

...

— Johanne ?

Je m'y attendais, à ce silence de mort…

— Pourquoi as-tu emmené les enfants ici ? Ils ne comprennent rien à ce qui se passe et c'est d'un ennui mortel, cet endroit. Est-ce que tu m'entends ? C'est moi, ton petit frère.

Décidément, c'est jour de congé dans le village aujourd'hui. Les employeurs ne doivent pas vraiment m'aimer.

L'église est bondée. Je ne pensais jamais voir autant de monde que ça au moment d'être mis en terre, même si une bonne partie de ces personnes ne sont là que pour regarder comment ça se passe, et voir si on a bien réussi mon maquillage… C'est quand même drôle de voir que les gens se sont déplacés pour moi en ce début de semaine.

Malgré tout, ça ne m'aide pas à comprendre ceux qui assistent à des funérailles, comme ça, pour le plaisir, alors qu'ils ne font pas partie de la famille. Il me semble que, s'il y a un événement que j'ai envie de vivre avec mon entourage, sans que les voisins y assistent, c'est bien ça, non ?

Ça sent l'hypocrisie à plein nez ici dedans. Une personne sur deux dans cette église n'avait même pas la décence de me regarder dans les yeux pour me dire bonjour quand je la croisais dans la rue. Encore moins quand j'avais la gentillesse d'apporter à l'une d'elles son courrier en mains propres parce que le camion des éboueurs était garé devant sa boîte aux lettres. Pourtant, ces gens sont tous là cet après-midi. Mon voyeur de voisin, la voisine et son mari… Ne manque que leur chien. Bande d'hypocrites.

Sans parler des langues sales qui vont s'en donner à cœur joie quand ils verront Marie passer dans sa nouvelle voiture, qu'elle se sera achetée peu de temps après mon départ pour remplacer la sienne, qui est sur le point de rendre l'âme, tout comme moi. Ils auront bien sûr le culot de dire qu'elle l'a achetée avec l'argent des assurances, celle qu'elle ne touchera jamais de sa vie puisque j'ai moi-même choisi ma date d'expiration.

— Savez-vous où vous êtes ?

On n'est pas à une première de film ici ! Retournez donc chez vous, dans le confort de votre foyer pour profiter un peu des vôtres...

Si c'était à refaire, je ne manquerais pas une occasion de passer du temps avec les miens, je le jure. Surtout pas pour les funérailles d'un voisin. Que voulez-vous que ça me fasse que vous soyez ici ?

Êtes-vous venus me dire adieu ? Il fallait me dire bonjour quand je passais devant chez vous avant aujourd'hui !

En plus, le prêtre parle comme si nous étions les meilleurs potes du monde. Je n'arrive pas à y croire.

Comme si nous avions grandi dans le même quartier, étudié dans le même collège, fumé les mêmes cigarettes ou échangé nos copines. Bon, ça aurait été un peu surprenant venant d'un pasteur, mais tout de même.

Pourquoi ne laisse-t-il pas la parole aux proches ? Ceux qui me connaissent vraiment, qui m'ont côtoyé pendant toute une vie. Ce sont eux que je veux entendre pour une dernière fois, pas cet homme vêtu d'une robe blanche, qui parle comme s'il était mon meilleur ami.

Pourtant, je ne pourrais même pas dire la dernière fois où je lui ai adressé la parole, à lui.

Quel est son nom déjà?

L'abbé quelque chose sans doute. Le seul souvenir que je garde de lui, c'est son haleine... Il est tellement vieux, il aurait très bien pu me baptiser s'il avait prêché en cette église en 1961.

Il m'énerve...

Tu parles d'un endroit pour organiser une réunion de famille. Ce n'est pas le rassemblement le plus joyeux que j'aie connu. Je m'ennuie déjà de nos bons vieux réveillons d'antan. Ceux qui n'arriveront plus pour moi. Peut-être même pour vous aussi, vous avez l'air tellement dévastés.

La dernière fois que j'ai vu toute la famille réunie comme ça, c'était au décès de ma belle-mère.

Elle est décédée subitement, en n'ayant montré aucun signe précurseur.

Elle a fait une crise cardiaque à quarante-huit ans seulement! Je trouvais ça jeune à l'époque, je m'en souviens. Et injuste qu'un être cher puisse nous quitter si tôt.

Je suis encore plus jeune, et des gens s'éreintent à creuser ma fosse en ce moment.

N'empêche que j'ai toujours eu du mal à l'oublier, ma belle-mère. Après son départ, on a soudainement réalisé, Marie et moi, à quel point la vie était fragile. J'ai dû finir par l'oublier avec les années.

Peut-être qu'avec un peu de chance elle rôde toujours dans les parages elle aussi! Il faudrait bien que je la retrouve, ça me ferait de la compagnie...

Quoiqu'elle me donnerait probablement une sale raclée.

Elle aimait tellement la vie, elle mordait dedans à pleines dents. Je crois qu'elle ne pourrait pas concevoir qu'on puisse choisir de partir comme je l'ai fait.

Surtout que j'ai abandonné sa fille adorée et ses quatre petits-enfants qu'elle aurait tellement aimé connaître. Une des plus grandes déceptions de Marie a sans aucun doute été le fait que sa mère n'ait pas eu le temps de les prendre dans ses bras. Ne serait-ce qu'une seule fois.

Elle aurait certainement été la meilleure grand-maman du monde, vu sa bonté et sa générosité. Ils auraient tellement été gâtés de la connaître. Pas seulement au sens matériel. Ils auraient été gâtés d'être les petits-enfants d'une femme aussi extraordinaire. C'est un grand privilège dans une vie que d'avoir la chance de côtoyer des personnes comme celle-là. Elle passait un temps fou dans sa cuisine à préparer des plats pour mon beau-père, ses enfants, et la famille élargie au grand complet. Tout le monde demeurait dans la même rue qu'elle, ce qui lui permettait de mettre ses rôtis, ses chaudrons de soupe et ses galettes dans un petit chariot et de partir à la marche en faire la distribution à ses frères et sœurs, qui avaient eu la brillante idée de s'installer à proximité de chez elle. Chaque Noël, c'est elle qui recevait toute la famille, et hors de question pour les autres d'apporter quoi que ce soit ! Elle fournissait jusqu'à la moindre gorgée de whisky que ses beaux-frères et ses belles-sœurs buvaient allègrement. Enfin, après une soirée éprouvante, riche en émotions et en chicanes de beaux-frères un peu trop soûls, tout le monde rentrait chez soi, l'âme en paix, pendant qu'elle se tapait le ménage et la vaisselle à elle seule. Laissant dans la maison un doux parfum de bonheur et de restant de tourtière. N'est-ce pas la bonté incarnée, ça ? Elle le faisait toujours en chantonnant, signe qu'elle y mettait tout son cœur. Ma Marie est vraiment la fille de sa mère.

Le prêtre parle depuis bientôt soixante-quinze longues minutes et personne n'a cessé de pleurer un instant. Tout ça sera bientôt fini et je me retrouverai à l'horizontale, six pieds sous terre, juste en dessous d'une croix où l'on aura gravé « C'était un homme bon » ou une autre de ces phrases ultra-commerciales et préconçues du genre : « Repose en paix. »

Vous êtes sur le point de vous déshydrater, à bout de larmes. Vous devez avoir le cœur et le corps en plein désert.

Dites-moi que vous avez prévu un buffet pour la suite au moins. C'est sûr qu'il sera moins bon que ceux que je préparais, mais je pense que ça fera du bien à tout le monde de changer d'air. Je préfère vous voir tous réunis autour d'un bon repas plutôt que de vous voir ainsi pleurer, assis sur des bancs trop inconfortables, étouffés par l'odeur de l'encens.

Ça y est, ces cloches qui résonnent d'un bruit assourdissant à faire trembler tout ce qui se trouve à l'intérieur de la grande chapelle, c'est mon cœur que vous entendez battre. Ce cœur qui me gardera vivant dans chacun de vos souvenirs et qui, j'espère, vous redonnera le sourire un jour. Chaque fois que vous entendrez ces cloches gronder, aussi fort que le tonnerre, pensez à moi, et je serai là, tout près de vous.

Tous, autant que vous êtes, les uns derrière les autres, vous m'accompagnez vers le cimetière, où réside un paquet de gens que j'ai pleurés, qui nous ont eux aussi quittés trop jeunes. Ainsi se terminera une des journées les plus éprouvantes de votre existence. Une autre des pires journées de votre vie à ajouter à la liste. Pardonnez-moi d'avoir provoqué celle-ci avant son temps.

Pardonnez-moi de ne pas avoir pris mon temps.

LE FIL DES SAISONS

Les saisons s'enfuient sans même laisser de traces. Déjà l'automne cogne à vos portes, chassant pour un temps indéterminé mes étés passés avec vous. J'aurai atteint mon quarante-deuxième printemps. Je n'ai jamais compris avant aujourd'hui ceux qui se tuaient à me dire que le temps passait trop vite et qu'il fallait jouir de la vie. J'avais la prétention de la connaître mieux que tous ces vieux sages qui ont tant bien que mal tenté de m'enseigner ces principes.

On m'a si souvent répété de prendre le temps de respirer et de profiter de ma famille ou encore que notre vie nous était prêtée. Comme un cadeau que l'on devait rendre après l'avoir déballé. De ne pas trop en abuser au risque de la perdre un jour. Moi, la mienne, je n'ai jamais su quoi en faire, alors je l'ai rendue. De la même façon que l'on rapporte un livre à la bibliothèque après l'avoir vaguement feuilleté pour en lire les grandes lignes, ou comme un film que l'on retourne au club vidéo à cause du manque de temps et d'intérêt qui fait qu'on n'a pas été capable de poursuivre le visionnement jusqu'à la fin. J'ai préféré vivre ma vie sur l'avance rapide, sautant toutes les scènes qui ne me plaisaient pas au lieu de prendre mon temps et de les savourer avec un bon maïs soufflé.

Je voudrais bien prendre le temps de vivre aujourd'hui, je m'y sens prêt, sauf qu'il est trop tard.

Déjà, les feuilles virent du vert au rouge, en passant par le jaune, pour nous montrer qu'elles sont encore bien vivantes. Jusqu'à ce que la sève cesse de circuler en elles et qu'elles s'assèchent tranquillement et meurent. C'est exactement comme le sang qui coule dans nos veines. Dès qu'il cesse de circuler, c'est la mort. Ce n'est qu'une question de temps avant que l'on voie ces feuilles flottant sur le dessus de nos piscines ou recouvrant nos jardins. C'est inévitable. Au moins, elles auront servi à quelque chose. La différence majeure entre l'être humain et la feuille d'érable, c'est que la feuille de l'arbre repousse au printemps.

L'hiver n'est déjà plus très loin.

Les nuits sont de plus en plus froides, le soleil se couche de plus en plus tôt sur vos têtes.

Bientôt, il faudra faire le bois nécessaire pour vous tenir au chaud pendant l'hiver. C'est comme si c'était hier, tout ça, il me semble. Marie, j'ai oublié de te dire que tu allais devoir en couper, du bois, cette année. J'espère que tu ne crois pas en avoir suffisamment. Il t'en faudra beaucoup plus que l'an dernier. Sinon tu ne te rendras pas plus loin que janvier, avec un peu de chance et un temps doux. Mais je le sais, moi, maintenant. Je sais que l'hiver sera rigoureux cette année. Un des pires, de ceux qu'on n'a pas vécus depuis longtemps ! Il fallait s'y attendre. Les dix derniers ont été si doux qu'on se demandait chaque fois si nous allions avoir un Noël blanc, parsemé de gazon ou complètement vert.

Cette année, ce sera extrêmement froid et tu auras besoin d'énormément de bois pour vous tenir au chaud. Mais tu l'ignores, toi, puisque c'est moi qui m'occupais de tout ça et que je ne l'ai jamais mentionné ni à toi ni aux enfants. La scie mécanique est dans le garage et aura bien besoin d'un petit entretien avant d'être utilisée. Je n'ai pas eu le temps de le faire l'automne passé. C'est d'ailleurs le seul outil que j'ai été capable de faire fonctionner de ma vie. Surprenant ! Heureusement qu'un de mes beaux-frères travaillait dans le bois, ça m'a permis d'apprendre.

Ça ne fait que quelques jours que je suis parti, et déjà j'ai l'impression que je te rends la vie tellement difficile.

Pourquoi dit-on « le repos éternel », au fait ? C'est loin d'être reposant de vous voir courir toute la journée après le temps.

Et toi, Marie, ton petit corps frêle ne survivra pas à l'hiver si ça continue. Tu dois absolument accepter l'aide que l'on t'offre. Tout le monde autour est avec toi et n'a qu'un seul désir : te simplifier la vie. Tu dois mettre ton orgueil de côté et arrêter de te croire assez forte pour porter le poids de la terre sur tes épaules. Sinon, j'ai bien peur que tu ne tiennes pas le coup.

Ce soir, je vous prie, mon Dieu, je vous prie de veiller sur ma famille si jamais je m'égarais et que je n'arrivais plus à retrouver mon chemin. Si jamais cette lampe que je traîne toujours avec moi s'éteignait d'un coup de vent, dites-moi que vous serez toujours là pour veiller sur eux et les éclairer.

Je sais que je ne vous ai pas prié souvent… Vous ne devez même pas reconnaître le son de ma voix. Il est sans doute trop tard, mais j'implore votre aide. J'ai besoin de quelqu'un de plus fort que moi, j'ai besoin de vous.

Je ne peux plus revenir en arrière, j'en suis bien conscient, mais est-ce que je pourrais un seul instant me faire entendre ? J'ai besoin de leur parler. Ne serait-ce qu'en rêve. S'ils réussissent un jour à venir à bout de toutes ces nuits d'insomnie… J'en ai besoin. Croyez-vous que vous puissiez faire ça pour moi ? Je sais que je n'ai pas toujours été le meilleur être humain qui soit, mais jamais de ma vie je n'ai été méchant envers qui que ce soit. Je n'ai que ça à vous demander, je ferai tout ce que vous voudrez, je vous en prie. Voudriez-vous entendre ma prière, s'il vous plaît ? Voulez-vous m'exaucer ? Je vous en serai éternellement reconnaissant. J'ai le temps de toute façon, je n'ai que ça à faire dans ce foutu… pardon, dans ce ciel.

Réécrire votre histoire

6 septembre 2003

C'est comme si je venais de bouleverser complètement le cours de votre vie. L'école a recommencé cette semaine et François ne veut même pas s'y réinscrire. J'étais conscient que sa scolarité ne tenait qu'à un fil, j'ai toujours dit qu'il n'était pas fait pour les bancs d'école. Mais je croyais au moins qu'il allait terminer son secondaire, c'est de plus en plus important de nos jours.

Je le voyais clairement dans ses yeux chaque fois qu'il revenait de l'école lorsqu'il était au primaire. Je le sentais tellement malheureux. Il ne devait pas avoir beaucoup d'amis. Il n'a jamais été un grand sportif, il était passionné de musique. Un chanteur de chorale de l'église de Sainte-Madeleine-des-Monts, c'est beaucoup moins populaire qu'un joueur de football malheureusement. Il revenait de l'école en courant vers la fin de l'après-midi, sachant très bien qu'il n'avait qu'un court laps de temps pour se rendre dans sa petite salle de musique pour répéter avant que le souper soit servi et qu'il doive se replonger dans ses devoirs pour ensuite recommencer une autre journée ennuyeuse d'école. Vous auriez dû voir les étoiles dans les yeux de cet enfant-là quand arrivait le mois de juin. Il disait que c'était le plus beau mois de sa vie puisque c'était le mois de sa fête et le mois des vacances d'été. Il savait qu'il aurait la sainte paix pour quelque temps avant de devoir retourner s'asseoir dans une classe maudite de l'école Sacré-Cœur de Sainte-Madeleine-des-Monts.

Il disait avoir hâte aux vacances, lui qui ne connaissait pas vraiment ce que c'était en réalité.

Cette année encore, je ne vous aurai emmenés nulle part. Aucune sortie familiale, aucune activité qui pourrait vous donner l'envie de retourner à l'école après un bel été de vacances en famille. Je sais que c'est ma faute si vous avez perdu toute votre motivation, mais vous devez vous accrocher. Bon, venant de moi, ce n'est pas trop crédible. Est-ce que je me suis accroché, moi? Non… Mais vous devez sortir de vos têtes une fois pour toutes. Mettez de côté tous vos vieux souvenirs et reprenez vos vies là où vous les avez laissées. Voulez-vous savoir pour quelle raison François veut décrocher de l'école? Pour me remplacer au bureau de poste. Il connaissait mon travail, mes clients et leurs adresses par cœur à force d'avoir passé ses étés à travailler avec moi. Je comprends qu'il puisse en avoir envie parce que c'est un emploi intéressant et bien rémunéré, mais que fait-il de son rêve de devenir musicien? Je ne veux pas qu'il perde de vue ses ambitions, surtout pas dans le but de marcher dans mes vieilles bottes usées. J'ai abandonné mes passions, moi, pour travailler sept jours sur sept. Pas besoin de vous dire la fin de l'histoire.

Vous avez tous un avenir brillant, mes enfants, et vous possédez tout ce dont un vivant a besoin pour réussir! Vous êtes beaux, intelligents et vous avez l'esprit vif. En plus, vous ne vous êtes jamais laissé abattre par quoi que ce soit. Il ne faut pas que ça commence aujourd'hui. Julien, tu as tout ce que ça prend pour devenir un bon informaticien; François, une école d'art quelconque t'attend quelque part.

Votre vie d'adulte viendra bien assez vite, je sais de quoi je parle. Aujourd'hui, vous devez retourner en classe, et reprendre la routine d'il y a quelques mois à peine.

Rappelez-vous quand vous étiez enfants. Vous attendiez la rentrée avec une telle impatience! Sauf François, évidemment. Une semaine avant le retour à l'école, vous étiez insupportables, comme si une tempête allait s'abattre sur nos têtes tellement vous aviez hâte de revoir vos amis et vos professeurs. Il faut dire que vos étés n'étaient pas des plus agréables, vous les passiez à vous occuper du mieux que vous le pouviez à la maison pendant que nous travaillions, votre mère et moi. Il était normal que vous soyez excités de retourner à l'école après ces deux mois interminables. Vos vêtements, ceux dont on venait tout juste de retirer l'étiquette, étaient disposés sur la commode, prêts à être enfilés. Et tous ces nouveaux cahiers que vous aviez soigneusement choisis, étiquetés, autographiés et rangés dans vos sacs à dos, prêts à être remplis de votre avenir.

Et ces sacs à dos, vous passiez des heures à les vider pour pouvoir mieux comparer ce qu'ils contenaient… Bien entendu, il y a de ça quelques années. Tout est différent maintenant.

C'était le bon temps, il faut croire. On ne réalise jamais ces choses-là! Ce n'était pas si compliqué que ça au fond il y a quelques années.

Ces petites querelles entre frères et sœur que vous avez à tout moment, ce n'est rien finalement. Un jour, vous allez grandir et vous rendre compte que votre famille est ce que vous possédez de plus précieux. Certaines personnes vont entrer dans vos vies, vous allez en être follement amoureux et amoureuse et elles vous quitteront au bout de quelque temps. Qui sera là pour vous remonter le moral lorsque cela se produira? Les membres de votre famille. Vous êtes chanceux d'être quatre pour vous soutenir quand surviennent des épreuves dans une vie. Des épreuves un peu plus importantes que vos petits accrocs de parcours.

Bientôt, ce sont les problèmes financiers qui vous envahiront. Vous rentrerez d'un boulot que vous n'aurez pas choisi étant donné que vous aurez quitté l'école à la suite du décès de votre père.

À ce moment-là, devinez ce qui vous attendra gentiment dans votre boîte postale?

Un paquet d'enveloppes contenant entre autres des factures en retard depuis quelques mois déjà. Et vous ne pourrez même pas en vouloir au facteur puisque ce sera peut-être votre propre frère François qui vous les aura livrées. Ces dettes, elles seront vitales. Le chauffage, l'éclairage et le téléphone. Vous serez loin de pouvoir vous offrir une voiture de luxe et un voyage dans le Sud chaque hiver. Ne commettez pas les mêmes erreurs que votre défunt père. Je ne suis jamais sorti de chez moi pour autre chose que pour travailler.

L'algèbre, c'est de la petite bière à côté de tout ça. Le vrai problème, c'est quand tout ce que vous additionnez arrive à un résultat négatif. Quand vos dépenses deviennent deux fois plus élevées que vos rentrées d'argent, et ce, chaque mois, c'est à ce moment que la misère s'installe.

Léa a cinq pommes. Elle en donne une à son enseignante et une à son meilleur ami. Combien lui en reste-t-il?

Ça, c'est facile!

Quand ton équation ressemble à ça : Bertrand a une maison à payer, qui représente une hypothèque de mille deux cents dollars par mois. Il gagne quatre cents dollars par semaine, mais il doit aussi chauffer et éclairer sa maison. Tout ça, sans avoir rempli le réfrigérateur ni habillé les enfants. Comment peut-il y arriver?

La réponse?

C'est un mal de tête qui se transforme petit à petit en idées noires.

Vous ne voulez pas finir insomniaques à force de vous demander comment faire pour venir à bout de toutes ces équations.

Je ne veux pas vous faire la morale, je veux seulement vous voir heureux.

Maintenant, de là-haut, je peux veiller sur vos moindres faits et gestes. Ce qui veut dire que je peux encore plus me rendre compte à quel point j'ai pu causer des dommages irréparables dans vos vies.

En un instant, une fraction de seconde, en un geste, j'ai changé le cours de votre histoire…

Je me suis pris pour Dieu et c'est vous qui en payez la note.

J'ai choisi de mettre fin à mes jours, à mon souffle. J'ai pris la décision de faire demi-tour et, du coup, vos vies ne seront plus jamais comme avant. J'ai ruiné tout ce que vous aviez entrepris.

J'ai bousculé votre trajectoire et j'ai complètement changé votre destination finale. J'ai réécrit le film de vos vies. J'en ai changé le dénouement, l'intrigue, le décor, l'environnement et je suis devenu impuissant à partir de ce moment. Je ne peux plus rien faire maintenant puisque vous êtes devenus vos propres réalisateurs.

Depuis, je regarde cet arbre qu'on peut apercevoir par la fenêtre de la salle à manger et j'ai l'impression qu'il a arrêté de grandir, de pousser. Et ces fleurs, elles ont fané instantanément. Elles ont perdu leur couleur et leur fraîcheur.

Mes enfants… vous que j'ai élevés du mieux que j'ai pu. Que j'ai aimés de toutes mes forces ! Je m'arrache à vous, et vous êtes convaincus que je l'ai fait sans me soucier de vous. Mais au contraire, j'ai tellement pensé à vous. Je n'ai fait que ça. Mais quand j'ai pris conscience des conséquences de mon départ, il était trop tard. Je me sentais faiblir, je me sentais partir…

J'aimerais tant revenir un instant pour que vous repreniez goût à la vie vous aussi. Je ne savais pas qu'en arrêtant de respirer j'allais vous couper le souffle. Vous aviez tellement de projets, tellement de qualités dont je pouvais être si fier ! N'abandonnez pas, je vous en conjure.

Je ne suis peut-être plus présent auprès de vous physiquement, mais je serai dans chacun de vos pas, peu importe la direction que vous prendrez. Je suis encore plus présent qu'avant malgré ce que vous pouvez croire.

Je serais incapable de vous quitter des yeux un seul instant.

Si je n'ai pas été le meilleur père qui soit sur terre, je m'efforcerai de le devenir de là-haut.

PARADIS TERRESTRE

16 SEPTEMBRE 2003

Vingt jours, c'est une poussière d'éternité, ça ! Et pourtant, ils m'ont semblé si longs ! En fait, ils n'en finissent plus de finir. J'ai l'impression que mon visage n'a pas arrêté de vieillir malgré le fait que les secondes aient cessé de défiler pour moi. J'ai de la difficulté à me reconnaître moi-même quand je passe devant la glace. Je n'ose pas imaginer de quoi mon visage aura l'air dans deux cents ans. Vingt longues journées qui n'ont pas été de tout repos pour vous. Déjà, vous avez eu le temps de tout faire. La succession, le testament, les assurances, l'hypothèque, les comptes en souffrance que je n'ai cessé d'accumuler au fil des années, les quelques sous qui me restaient, mes impôts en retard. Vous êtes des machines de guerre, je ne suis même pas parvenu à régler tout ça en quarante-deux ans.

À cette vitesse, allez-vous encore vous souvenir de mon nom dans quelques semaines ?

C'est sûr que si vous aviez reçu un héritage considérable, vous auriez plus de mal à m'oublier… Vous auriez le temps de penser à moi. Du moins le temps nécessaire à le dépenser.

Je ne vous ai pas laissé grand-chose, je sais. J'ai travaillé toute ma vie pour ça, moi ? C'est terrible ! Rien qu'une poignée de monnaie oubliée au fond d'un tiroir. Encore une chance que je ne l'ai pas vue avant parce qu'elle ne serait probablement même plus là aujourd'hui.

Heureusement que mes enfants sont travailleurs. Je me plais à croire que c'est moi qui leur ai transmis cette valeur, malgré tout.

À voir mon Frédéric aller, je constate qu'il a tout un caractère… J'y suis peut-être allé trop fort ! Je crois qu'il a vraiment de la difficulté à accepter mon départ. Il semble particulièrement bouleversé. En pleine crise existentielle même. Vous me direz sans doute que c'est typique à l'adolescence et que le temps arrangera les choses, mais je n'en suis pas si sûr.

Bientôt, ce sera son anniversaire. J'espère qu'ils ne l'oublieront pas, comme je l'ai fait l'an dernier. Si c'était le cas, il serait encore plus démuni, le pauvre.

Regardez dans le tiroir en haut du bahut de la cuisine, j'ai laissé la recette de son gâteau préféré dans un de mes livres. Vous aurez du mal à mettre la main dessus, je l'ai bien rangée parce que je la connaissais par cœur. Chaque année, à son anniversaire, nous partions lui et moi pour faire le tour des centres commerciaux, et lorsque nous revenions à la maison, il y avait des ballons partout ! Des ballons de toutes les couleurs. Je le laissais choisir lui-même son cadeau d'anniversaire, dont le coût ne dépassait jamais quelques pauvres dollars puisque je n'en possédais pas plus. Moi, ça m'évitait le casse-tête de devoir magasiner et choisir quoi lui acheter, et lui en était bien content. Évidemment, au retour à la maison, ses amis l'attendaient pour faire la fête. Bien entendu, je lui avais préparé le plus beau des gâteaux d'anniversaire, celui avec le chocolat fondant à l'intérieur, son préféré.

Serait-ce possible de revenir un tout petit instant, juste le temps de lui préparer son gâteau et de l'emmener au centre commercial ?

Le temps que Marie installe des ballons partout et que ses amis se cachent dans la salle à manger pour lui faire la surprise, qui n'en était plus une tellement c'était devenu une tradition.

Je voudrais seulement être près de lui et qu'il soit capable de m'apercevoir le temps qu'il souffle ses bougies. Quinze ans cette année. Bientôt, ses bougies ne tiendront plus sur un seul gâteau.

Il a l'âge où on a besoin de son papa plus que jamais. Je le sens vulnérable, sauvage et renfermé sur lui-même.

Je me sens encore une fois être la cause de son malheur.

Moi et mes conneries…

Je vous entends me le dire, et vous avez parfaitement raison : « Il fallait y penser avant. »

Je m'imagine tellement revenir auprès de vous maintenant que j'ai passé vingt jours de noirceur ! Vingt petits jours auraient suffi à me faire apprécier le fait de pouvoir vous prendre dans mes bras et de vous serrer à vous en briser les os.

Je ne serais plus le même homme, je vous le jure. Je saurais apprécier la vie à sa juste valeur. Malheureusement, quand on met les pieds ici, on n'en revient jamais, à ce qu'on dit. C'est dommage au fond. On devrait tous à un moment donné pouvoir l'expérimenter et venir y faire un petit séjour d'une semaine, question de se remettre les idées en place et de réorganiser ses valeurs. Ça ne ferait de tort à personne de se rendre compte à quel point le paradis est sur terre auprès de ceux qu'on aime et non ailleurs. Je vous garantis que ça fonctionnerait. Bien entendu, ce n'est pas la destination vacances numéro un, et avec raison.

Vingt jours auront suffi à me faire comprendre ce que je n'ai même pas été foutu de constater en quarante-deux ans. On m'avait dit que la sagesse venait avec les cheveux blancs, sûrement pas! Je crois que j'ai commencé à pâlir avant même d'avoir du poil au torse et, malgré ça, je ne peux pas dire que j'aurai été sage de mon vivant. Les seules choses que j'ai faites et que je n'ai pas regrettées sont mon mariage et mes enfants, ce qui est quand même majeur. Mes enfants sont venus me rendre la vie plus belle. Plusieurs personnes choisissent de fonder une famille en pensant que ça améliorera leur vie de couple. Ça ne peut pas nuire, c'est évident. Mon existence, que je trouvais médiocre et sans importance, ils sont venus la rendre facilement tolérable. Un temps.

Ils sont venus me donner une raison de me lever le matin.

Plus j'avance et plus je me souviens. Plus j'écris et plus je m'ennuie de vous. Je commence à me demander si c'est bon pour moi de tenir ce journal. Les journées ne font que paraître encore plus interminables. Je ne pourrai pas faire ça toute ma mort durant.

MOI, GRAND-PAPA ?

19 SEPTEMBRE 2003

Voilà plus de trois semaines que je suis ici, et j'avais l'impression que les choses allaient de mal en pis jusqu'à ce matin, où j'ai reçu ma première bonne nouvelle depuis belle lurette. Mon plus vieux, Julien, et sa copine Karine attendent leur premier enfant. Le premier bébé de notre belle famille. Je suis heureux de voir qu'un rayon de bonheur semble vouloir chasser les nuages au-dessus de vos têtes. Il fallait bien s'y attendre. Quand une personne s'en va, ça prend quelqu'un pour la remplacer. Vous aviez besoin de quelqu'un pour remplir le vide que j'ai creusé.

Dire que j'aurais pu être grand-papa, finalement. Je me demande si l'avoir su avant aurait changé quelque chose à mon sort. Une si belle nouvelle ne peut que nous rendre de bonne humeur, non ?

Quand j'étais jeune, j'avais tellement hâte d'être grand. Grand-père, cela m'aurait réussi, je crois. J'espère juste que j'aurai la chance de lui voir la bouille, à ce bébé !

Tu rayonnes, mon fils, je le vois au fond de ton regard. Il y a bien longtemps que je ne t'ai pas vu afficher un si beau sourire. Tes yeux brillent comme des étoiles. Aujourd'hui, ce sont des larmes de joie que je vois ruisseler sur ton visage et ça me rend heureux.

Marie, tu seras grand-maman, est-ce que tu le réalises? J'ai tellement hâte de te voir prendre soin de cet enfant. Tu seras extraordinaire. C'est la vie qui vous sourit de nouveau. Seulement quelques petits mois de patience, et vous retrouverez toutes vos raisons d'être. Il me semble que ça vous changera les idées aussi. Si seulement ça peut vous réunir enfin, comme avant.

Si au moins ça pouvait resserrer les liens que j'ai brisés. Oncles François et Frédéric, tante Léa et mamie Marie. Ça sonne bien!

À bien y penser, si je fais le calcul, Karine était enceinte lors de mes funérailles. J'espère que tout ce stress que je lui ai causé n'aura en rien troublé le début de sa grossesse.

Quand on la regarde comme il faut, on commence à percevoir le petit bedon.

Je t'entends penser, Julien. Je t'entends me dire à quel point tu aurais aimé que je sois là, à ce moment précis, pour célébrer la nouvelle avec vous. J'aimerais tellement pouvoir te démontrer que je suis juste à côté de vous et que je tiendrai la main de Karine pendant toute sa grossesse. Que je serai encore plus présent que lorsque j'étais en vie! Tu peux me demander tous les conseils que tu veux. Toutes tes questions et tes inquiétudes, tu peux me les témoigner. Je te comprends parfaitement. Je me souviens lorsque ta mère était enceinte de toi.

Mon père m'avait quitté depuis un bon moment déjà. J'étais mort de peur. Je me demandais comment j'allais faire pour prendre soin d'un autre être humain, alors que je n'avais jamais su comment m'occuper de moi seul. Aujourd'hui, te voir être aux petits soins avec ta douce Karine me démontre que j'ai tout de même bien réussi ma mission sur terre.

Je ne sais pas si je deviens petit à petit un ange, mais il y a des choses que je commence à percevoir de manière assez phénoménale.

Vous aurez un poupon en santé, qui vous rendra heureux comme vous ne l'aurez jamais été de votre existence. Bien sûr, personne ne vit les événements de la même façon, mais si vous ressentez un peu de ce que j'ai vécu lorsque j'ai tenu mon premier enfant dans mes bras, vous verrez à quel point plus rien autour n'aura d'importance.

Vous découvrirez la vie à travers ses yeux à lui, ses yeux d'enfant. Vous apprécierez chaque moment passé en sa présence. Vous n'aurez d'yeux que pour lui. Il deviendra le plus beau des bébés parmi tous ceux de vos amis. Vous le rendrez heureux et, tant qu'il le sera, vous le serez aussi puisqu'il sera toute votre vie. Vous vous lèverez chaque matin avec l'espoir immense que son mal de dents de la veille sera passé durant ces courtes heures de sommeil qui caractériseront de plus en plus vos nuits. Vous tiendrez compte de votre enfant avant de prendre quelque décision que ce soit. Vous ferez vos choix en fonction de ce qui est le mieux pour lui, car il deviendra le centre de votre univers. Il vous fera les plus beaux dessins. Il vous dessinera aussi des cernes sous les yeux, vous fera courber l'échine et il fera blanchir vos cheveux prématurément à force de vous obliger à passer des nuits entières debout à le veiller lorsqu'il fera de la fièvre ou un mauvais rêve. Au fil des jours, il grandira. Il vous fera verser toutes les larmes de votre corps lorsque, devant vos yeux, il fera ses premiers pas. À cet instant, vous vous en voudrez à mort de ne pas avoir votre appareil photo en main afin d'immortaliser les exploits de votre superhéros d'à peine un an. Heureusement, vous vous rappellerez ce vieux truc que je vous ai donné. Celui de conserver chaque beau moment dans votre mémoire et d'en tirer le portrait.

Vous le trouverez extraordinaire. Il sera tellement allumé ! Il marchera probablement avant tous les enfants de son âge. Il connaîtra plus de mots que tous les autres. Ses petites phrases qui ne tiennent pas debout feront jaillir des ruisseaux de vos yeux.

Il sentira bon le bébé, même avec la couche débordante de santé.

Puis il prendra de l'âge, le poupon. À nouveau, vous verserez toutes les larmes de votre corps lorsque vous le verrez descendre de votre automobile afin de marcher à pas hésitants jusqu'à sa première journée d'école. Chaque jour, vous le verrez grandir, vieillir et changer. Bien des années plus tard, une fois de plus, vos joues se mouilleront, mais ce sera d'inquiétude, lorsqu'il vous tournera le dos pour monter dans sa première voiture et que vous le regarderez partir. Inévitablement, vous aurez épuisé toutes vos économies, celles qui auraient dû vous permettre de vous payer votre premier voyage dans le Sud depuis les enfants, pour la lui offrir en espérant qu'il ne lui arrivera rien, car vous seriez incapables de vous en remettre.

Puis, si vous ne faites pas comme moi et que vous vous rendez à vos vieux jours, c'est lui qui vous offrira ce bonheur. Le bonheur de vous présenter vos petits-enfants, à vous. Quelle joie vous aurez à les bercer en vous remémorant vos jeunes années passées ensemble. Fini les couches, l'insomnie et le sang d'encre, vous n'aurez qu'à profiter du beau côté de la médaille pendant que votre enfant sera mort d'inquiétude à son tour. Ainsi, la roue continuera de tourner. Pour l'instant, profitez bien des quelques mois que vous avez devant vous. Ils passeront en un rien de temps. Profitez des derniers jours de votre jeunesse, puisque dans quelque temps, vous serez devenus grands.

PETIT ÊTRE

21 SEPTEMBRE 2003

Aujourd'hui, j'ai croisé quelqu'un ici pour la première fois. Depuis le temps que je veille sur vous, seul, tout près des étoiles, en n'ayant personne à qui parler, personne à qui me confier, sans rencontrer âme qui vive. Plus aucune trace de vie aux alentours, qu'elle soit humaine, animale ou extraterrestre.

Jusqu'à ce jour.

Ce matin, alors que je m'apprêtais à faire le compte rendu de ma vingt-quatrième journée à errer ici, j'ai entendu un petit rire moqueur et j'ai cru sentir quelqu'un passer juste derrière moi au pas de course. On aurait dit un enfant qui voulait jouer à cache-cache puisque, dès que je me retournais, je n'apercevais personne. Il suffisait que je me remette à l'écriture pour réentendre ce rire enchanteur quelques secondes plus tard.

Malgré ma perplexité, j'ai continué à tenir mon journal en ne lui portant aucune attention particulière jusqu'à ce qu'il décide de sortir de sa cachette, exténué de courir et las d'être ignoré ainsi. Il se tenait là, debout devant moi, et il me fixait de ses grands yeux océan. Je suis resté muet devant autant de beauté et de pureté. On aurait dit... un ange!

Un petit blondinet qui devait avoir à peine cinq ans. J'étais incapable de prononcer un seul mot en sa présence. C'est la première fois qu'un enfant m'intimidait à ce point. Il dégageait quelque chose d'apaisant et de tellement puissant. Il semblait posséder une telle grandeur d'âme. Après avoir repris mes esprits, j'ai tenté d'entamer une conversation avec lui, mais il était très peu bavard, ce qui me rendait bien maladroit dans mon interrogatoire. Rien n'y faisait. Je n'ai jamais réussi à savoir son nom ou quoi que ce soit. Il ne m'a jamais adressé un seul mot. Ce n'est pas faute d'avoir essayé de le faire parler. Je me suis présenté. Je me suis approché de lui et, dès que j'avançais d'un pas, il reculait.

J'ai eu beau lui répéter que je ne lui voulais aucun mal, que je cherchais simplement à savoir ce qui l'avait mené jusqu'ici, rien n'y faisait.

Ça me paraissait complètement insensé de voir un petit être aussi jeune errer dans le coin.

Pourquoi est-il tout seul? Où sont ses parents? Que font-ils dans la vie? Est-ce qu'ils sont au courant qu'il traîne dans les parages en orphelin? Y ont-ils consenti? Est-ce qu'il a une famille au moins? Était-il enfant unique ou avait-il des frères et des sœurs? Si oui, où diable peuvent-ils être?

Peut-être bien qu'il est ici depuis des centaines d'années, mais qu'il a seulement cessé de vieillir. Ça me décourage. Ça voudrait dire qu'on reste tout seul une fois la frontière franchie.

Il était là, juste devant moi, tout près, avec son petit air miséricordieux. Je n'ai aperçu personne d'autre autour. J'aurais voulu qu'il me suive, qu'il me tienne compagnie, j'aurais bien aimé prendre soin de lui, je crois. Il a passé des heures à me fixer et à me regarder écrire. Il semblait rassuré de voir qu'il n'était pas laissé à lui-même, et moi aussi. J'ai beau avoir quarante-deux ans, la noirceur me fout encore et toujours la trouille.

Sa compagnie n'a pas duré aussi longtemps que je l'aurais souhaité. Je me suis détourné un petit moment pour déposer mes cahiers et mes crayons et, quand je me suis retourné, il avait disparu. Où était-il passé ? Pourquoi m'a-t-il rendu visite, à moi ? Devais-je en déduire quelque chose ? Je me suis mis à le chercher partout en hurlant pour que quelqu'un m'entende. Avais-je rêvé ?

J'ai tout fait pour le revoir, et pour ne pas être seul encore une fois. Je l'ai cherché pendant tout le reste de la journée, mais en vain. J'espère qu'il ne m'a pas quitté pour de bon, je me sentais un peu moins perdu aujourd'hui, il me semble. Je m'étais déjà habitué à sa présence rassurante. C'est étrange puisque ce sont les enfants qui ont habituellement besoin de la présence d'un adulte pour se rassurer, alors pourquoi est-il parti tout seul ? À moins qu'il ne soit pas aussi solitaire qu'il pouvait le sembler ? Je n'aurais pas dû le quitter des yeux, il aurait peut-être pu me montrer le chemin vers la civilisation, ou vers un peu plus de clarté. Vers cette fameuse lumière dont tout le monde parle à tout moment. Peut-être que j'en rencontrerai d'autres, petits bonshommes comme lui. Si je pousse ma chance plus loin, je pourrai même me faire des amis, qui sait, je ne suis sûrement pas le seul à m'ennuyer dans les hauteurs du ciel.

Il est probablement parti veiller sur les siens, comme je le fais depuis les dernières semaines. À cet âge, il doit avoir de jeunes parents à protéger. Un beau petit blond bouclé, comme j'en souhaite à tous les parents qui désirent avoir des enfants. Des yeux bleu clair et profonds comme la mer.

Je suis convaincu que j'ai côtoyé un ange pendant quelques instants. Il cache bien son jeu en tout cas. Pas d'ailes dans le dos, pas de halo autour de lui. Un petit homme, tout ce qu'il y a de plus normal. Mais il avait quelque chose en plus. Il semblait avoir la sagesse. Un genre d'ange habillé en civil, disons.

J'aurais aimé connaître son nom et savoir ce qui l'a amené ici. C'est atroce quand on y pense. À peine quelques années et sa vie sur terre est terminée. Peut-être a-t-il succombé à une foutue maladie infantile quelconque. Pas très loin de chez nous vivent deux petits garçons. Deux petits blonds exactement comme celui que j'ai rencontré tout à l'heure. Mais je sais que ce n'est pas l'un d'eux. Je les ai croisés assez souvent dans la rue pour pouvoir les reconnaître. Il s'agit des enfants de Mme Rollande, la voisine de l'église. Ses deux petits garçons sont atteints de la même maladie et doivent subir des traitements chaque semaine seulement dans le but de stabiliser leur état puisque aucun remède n'a encore été trouvé pour les guérir. Ils ont de graves malformations dues aux nombreux traitements qu'on leur administre, ce qui fait en sorte qu'ils sont bien différents de tous les autres enfants de leur cour d'école. C'est tellement triste. Les gamins peuvent parfois être si méchants et intolérants quand ils font face à la différence. Pas seulement les enfants, les adultes aussi manquent souvent de jugement avant de parler. Justin et Simon, les fils de Mme Rollande, se faisaient dire par les autres gamins que, s'ils demeuraient si près de l'église, c'était pour être plus près du cimetière lorsqu'ils allaient mourir. C'est si cruel.

Quelles sont les probabilités que tes deux petits hommes soient atteints de la même maladie non génétique?

Eux, ils sont tellement forts, ils sont convaincus qu'ils vont guérir! Ils luttent sans cesse du haut de leurs quatre et cinq ans. Remarquez, je leur souhaite du plus profond de mon cœur de gagner la bataille. Ils sont adorables. Sans cesse, ils consolent leur pauvre mère, qui se met à pleurer dès qu'elle imagine qu'à un moment ou un autre elle va devoir les laisser filer. Triste.

Elle ne s'est pas pointée à mes funérailles, Mme Rollande, même si elle ne demeure qu'à quelques pas de l'église et que ses enfants se portaient bien cette journée-là. Je crois qu'elle est en rogne, ce qui est tout à fait compréhensible. Elle doit être en rage parce que, moi, je me suis enlevé la vie alors que sa progéniture se bat tant bien que mal pour la garder. Peut-être a-t-elle simplement voulu s'épargner le chagrin du départ, sachant très bien que bientôt elle n'aura pas le choix d'y faire face.

En tout cas, ce petit garçon que j'ai croisé, je suis assez sûr qu'il ne ressemblait pas à un des garçons de Mme Rollande.

J'espère qu'elle pourra les garder encore long-temps auprès d'elle. Ils sont tout ce qu'elle possède. Son mari, Gilles, est décédé il y a quelques années dans un hôpital de la région. Il était camionneur et il passait le plus clair de son temps sur la route. Il conduisait des dizaines de milliers de kilomètres par mois. Un jour de malchance, alors qu'il reve-nait d'un long voyage et qu'il s'apprêtait à poser ses valises chez lui pour la première fois en trois semaines, il a pris sa voiture pour se rendre au dépanneur du coin quand un camion est venu le heurter de plein fouet.

Le comble de l'ironie, c'est qu'il s'agissait d'un camion de la même compagnie pour laquelle il s'était fait mourir à la tâche pendant plus de vingt longues années. Il était sur le point de prendre sa retraite pour consacrer tout son temps à sa jeune famille. Il ne savait pas à ce moment que le temps passé avec ses enfants était compté. Quelques jours après ce tragique accident, le matin des funérailles de son mari, Mme Rollande recevait un appel du médecin spécialiste qui avait préalablement pra-tiqué différents examens sur ses garçons, qui se plaignaient de maux de ventre depuis six mois environ. Le diagnostic était clair, la maladie était incurable. Je ne sais pas quel choc a été le plus gros, car je pense que ça ne se compare pas en nombre de larmes versées, mais ça a sans doute été l'année la plus douloureuse de toute sa vie. Rien de pire ne pourrait jamais plus lui arriver maintenant.

Pauvre femme, je ne comprends pas comment elle fait pour continuer à vivre. Heureusement qu'encore aujourd'hui elle a Justin et Simon, ses deux petits rayons de soleil. Que Dieu les laisse le plus longtemps possible avec elle, puisque ce sont eux qui la font vivre.

En attendant, je vais repartir à la recherche de mon petit ange. Il ne doit pas être allé très loin. Sans ailes, il ne s'est sûrement pas envolé !

LE PARDON

26 SEPTEMBRE 2003

J e ne saurai pas tenir le coup encore bien longtemps. Ça ne fait qu'un mois que je suis ici, et j'ai
l'impression que je tourne en rond sans but précis.
Ce n'est certainement pas ici que je vais refaire le
monde. Votre vie à vous commence à redevenir
normale. Un petit mois après mon départ ! Il y en
a douze comme ça dans une année et des millions
dans une éternité.

J'ai déjà eu le temps de tout faire ! J'ai pris soin
de repenser à mes vieux péchés, j'ai fait le tour de
tous ceux que je n'ai pas eu le temps de voir avant
mon départ, et Dieu sait qu'ils sont nombreux.

Je suis loin d'être un ange, vous vous trompez
lorsque vous m'appelez ainsi. Je me reconnais à
peine. Je n'en serai jamais un. J'ai un bagage bien
trop lourd de faiblesses de toutes sortes que j'ai
apportées ici, par-dessus le marché, sans même
prendre le temps de demander pardon à qui que
ce soit.

Je ne suis pas parfait, non… Je ne l'ai jamais été
et je n'aurai jamais plus la chance d'essayer de l'être.
Je ne sais pas trop comment je pourrais faire cela

d'ici, mais j'aimerais pouvoir me racheter. Question d'être un peu moins lourd dans mon apesanteur.

Aujourd'hui, les larmes aux yeux, je demande pardon, à qui de droit. Pardon de ne pas vous avoir demandé pardon avant.

Mon Dieu, pardon de ne pas vous avoir prié, de vous avoir manqué de respect si souvent et de vous avoir mis dans la liste de ceux que j'ai trop négligés. Non, je ne suis pas un ange et je n'ai jamais souhaité en devenir un. La tâche est beaucoup trop importante pour moi et le flambeau est bien trop lourd à porter pour un seul homme. Mon père m'a si souvent répété que je n'allais rien faire de bon de ma vie que j'ai fini par le croire. J'aurais tellement voulu lui prouver que je pouvais devenir quelqu'un de bien! Si j'avais eu le temps de lui présenter mes enfants, il aurait bien vu que j'étais quelqu'un. Il ne m'en a jamais laissé l'occasion. Je crois que je l'ai toujours détesté profondément et que je lui en voudrai à mort pour ça.

Comment peut-on haïr celui qui nous a donné la vie? C'est peut-être pour ça que je le détestais, justement. Parce qu'il m'a un jour donné la vie et que je n'ai jamais su quoi en faire. Je n'ai jamais su en prendre soin et en profiter pleinement. Je m'étais pourtant juré que je ne ferais jamais subir une telle chose à mes enfants. J'y pensais chaque soir avant d'aller au lit. Chaque nuit, je me posais la question: est-ce que j'ai été un bon père aujourd'hui? En fait, la vraie question que je me posais, c'était: aujourd'hui, est-ce que j'ai agi comme mon père? C'est affreux quand j'y pense.

Il aurait fallu que j'apprenne à lui pardonner. Peut-être aurais-je pu me donner le droit de ne pas être parfait.

Je suis comme ça depuis que je suis haut comme trois pommes, ce n'est pas d'hier ! Je me retrouvais toujours tout seul dans la ruelle où j'ai grandi à regarder les autres s'amuser ensemble puisque j'étais incapable de pardonner à Martin Côté de m'avoir accroché sans faire exprès avec le bout de son bâton de hockey. Je lui en voulais à mort, je le regardais avec des couteaux dans les yeux pendant de longues minutes tandis que lui avait déjà oublié ce qu'il venait de faire accidentellement et avait repris sa partie. C'est ça que je trouvais le plus insultant, qu'il fasse comme s'il ne s'était rien passé. Qu'il fasse semblant de ne pas avoir remarqué que j'étais tombé. D'ignorer mon genou qui saignait à travers mon pantalon. Je croyais que ma mère allait me tuer à mon retour à la maison. J'en avais juste un et je venais de le déchirer par sa faute. Lui osait nier qu'il m'avait fait trébucher en plus de ça. Tout ce temps que j'ai perdu à en vouloir à tout le monde autour de moi, quand le problème ne dépendait que de moi, en être égoïste et rancunier que j'étais. Quand il s'agissait d'une chicane entre frères et sœurs, c'était laid. Je pouvais être des semaines sans leur dire un seul mot.

Avec les années, mon seuil de tolérance a quand même grimpé, heureusement.

Aujourd'hui, toutes les personnes auxquelles je tiens plus que tout ont le regard triste et vide comme une école en juillet. Je ne m'imaginais pas qu'elles aussi pouvaient tenir à moi à ce point-là. J'ai préféré me faire croire qu'elles seraient mieux ainsi.

C'est comme si, dans une pièce de théâtre, le premier rôle se balançait complètement des autres personnages sans qui son histoire ne serait pourtant pas la même !

Comme si, dans un film, on avait enlevé un personnage en plein milieu, sans avertir personne. Sans donner le temps à l'auteur de se ressaisir et d'en réécrire le scénario. Comme si l'on enlevait le refrain d'une chanson populaire qui joue tellement à la radio que tout le monde la connaît par cœur.

J'aurais dû vous demander pardon bien avant.

Il y a tellement de choses que j'aurais voulu vous dire.

J'aurais voulu prendre ma mère dans mes bras. Elle ne l'a pas eue facile, pauvre maman. On lui en a fait voir de toutes les couleurs. Mon père qui décide de s'enlever la vie, ensuite mon petit frère, et puis moi... Elle ne méritait pas ça. Je me demande bien comment elle fait pour tenir encore debout, en gardant toute sa tête. À sa place, à son âge, après tout ce qu'elle a vécu, je serais depuis longtemps au fond d'un hospice en train d'être nourri à la petite cuillère.

Personne ne mérite ce qu'on lui a fait endurer.

Mon petit frère Érik était si jeune lui aussi quand il nous a quittés ! Je ne l'oublierai jamais. Après son suicide, je me suis mis à rêver de lui chaque nuit. Le soir de mon départ, il est la dernière personne pour qui j'ai eu une pensée. J'avais si peur. Je m'imaginais le rejoindre enfin et pouvoir discuter avec lui pendant de longues heures.

J'attends pourtant toujours de le revoir.

Il n'a pas eu de chance. Il n'a eu personne pour l'aider à s'en sortir. On ne prenait pas ses appels au secours au sérieux. Quand j'y pense, je me dis qu'il démontrait tellement de signes flagrants de détresse qu'on aurait dû les percevoir. À trente ans, il avait eu un accident de ski qui allait le clouer à un fauteuil roulant, lui qui mordait dans la vie comme personne. La terre s'était arrêtée de tourner tout d'un coup. La descente aux enfers a débuté peu de temps après. Il répétait sans cesse qu'il n'allait pas être capable de supporter cette perte d'autonomie soudaine bien longtemps. Personne n'a compris ce qu'il voulait dire par là. On a tous joué aux aveugles jusqu'à ce qu'on le trouve allongé par terre à côté de son fauteuil sur le plancher de la salle de bain. C'était un doux soir d'hiver comme on n'en avait pas eu depuis bien longtemps. Il devait faire moins deux degrés à l'extérieur et une toute petite neige fine virevoltait tranquillement du haut des cieux. Par la fenêtre de notre maison, je regardais les enfants s'amuser à l'extérieur quand mon cœur s'est subitement mis à battre très vite et à se resserrer dans ma poitrine. J'étais convaincu que j'étais sur le point de faire un arrêt cardiaque. J'avais l'étrange impression que quelque chose venait tout juste de se produire et je sentais que c'était grave. Pour être franc, j'avais la certitude qu'un malheur était arrivé à quelqu'un et j'aurais même pu parier sur la personne.

Une partie de mon cœur a cessé de battre quand on m'a confirmé la triste nouvelle cette nuit-là. C'est ma nièce, sa grande fille Christelle, qui l'a trouvé et qui m'a appelé immédiatement. Elle savait bien que j'en étais proche. Cette nouvelle a eu l'effet d'une bombe qui m'éclatait en plein visage. Nous n'étions pas des jumeaux, mais j'ai tout de même senti qu'on venait de me prendre une partie de moi.

Il avait trois beaux enfants de moins de dix ans. Leur mère était déjà en train de refaire sa vie bien loin du nid, abandonnant ses oisillons. Personne de la famille n'a pu s'en occuper, faute d'argent et de temps. Je m'en suis tellement voulu longtemps.

Notre vieille et pauvre mère a eu énormément de difficulté à accepter le départ de son fils. Le premier enfant qu'elle mettait en terre. Elle n'avait jamais encore réussi à oublier son mari, qui l'avait quittée de la même manière plusieurs années auparavant.

Pauvre maman… Je lui rends visite chaque jour. Elle est toujours ainsi : assise sur sa chaise berçante installée dans le coin de la chambre, juste à côté du grand lit où nous dormions, Érik et moi, fixant la montagne au loin à cœur de jour, l'air affligé. Elle ne mange qu'un seul repas par jour par obligation. Elle est d'une telle maigreur.

Je veux te demander pardon, maman. J'ai beau m'asseoir à tes côtés pendant des heures à te regarder te bercer, le regard creux, vide d'espoir en la vie, vide de tout. À quoi penses-tu pendant ces longues minutes à épier l'horizon par la fenêtre ?

Rêves-tu qu'un jour ou l'autre l'un de nous trois va réapparaître, dans le champ de blé derrière la maison ?

M'entends-tu ? Pourquoi fais-tu semblant de rien, comme si je n'étais pas là, comme si je n'existais pas ? Tu ressens cette brise sur ton visage ? Toutes les fenêtres sont fermées pourtant ! Tu ne te poses donc pas de questions ?

Et cette foutue porte, si je la claque ? Tu croiras au coup de vent ? Qu'est-ce que je pourrais bien faire pour te dire que je suis là et que je suis désolé, maman ? Tu ne méritais tellement pas ce qu'on t'a fait subir. Deux de tes neuf enfants et ton propre mari qui t'abandonnent. Pourquoi tu ne m'entends pas, bon sang ! Je hurle à tes côtés !

C'est exaspérant…

Il faisait comment déjà, Patrick Swayze, dans *Mon fantôme d'amour* ? Je veux te parler. J'ai besoin de t'expliquer ce qui s'est passé. Je ne pourrai jamais te faire ressentir le mal de vivre que j'abritais au fond de moi, de toute façon je ne le souhaite à personne, mais je pourrais au moins te demander pardon une fois pour toutes. Pardon de t'avoir arraché un deuxième enfant, moi. Je pourrais te raconter ce que j'avais dans la tête à ce moment précis, juste avant de la perdre. Je veux te dire à quel point j'ai pensé à toi, malgré tout ce que tu crois. Je ne te demande pas de me comprendre ni même de me croire sur parole. Tu m'as donné la vie, et moi, en un instant, je me l'enlève, c'est inacceptable. Mais on fait tous des erreurs dans la vie. C'est simplement que la dernière que j'ai commise était irrévocable. Et maintenant, on ne me donne plus aucune chance de revenir sur mes faux pas, malheureusement.

Pourras-tu seulement un jour me pardonner? Je sais que c'est difficile pour une mère de voir partir son enfant avant elle. C'est contraire aux règles, ce n'est pas comme ça que ça marche, c'est inconcevable.

J'aurais été absolument incapable d'enterrer un de mes enfants. C'est déjà assez difficile de perdre quelqu'un quand c'est la nature qui nous l'enlève.

Suis-je un lâche? Pourquoi ma douleur m'a-t-elle toujours semblé plus insupportable que celle des autres? Pourquoi avais-je toujours l'impression d'avoir le poids de l'univers sur mes épaules?

En ce moment, j'ai ce besoin profond de t'entendre me dire : « Mon enfant, je te pardonne », comme dans cette chanson que tu m'as chantée tellement de fois. On n'accepte jamais le départ de quelqu'un, on apprend à vivre avec. Nous n'avons pas vraiment d'autre choix que de nous y résigner puisque assez souvent on nous l'impose, cette absence. Du jour au lendemain, on doit se contraindre à tolérer le deuil et le vide qui est créé. On doit essayer de meubler ce manque par quelque chose d'autre.

On dit que toute bonne chose a une fin, mais elle doit arriver naturellement, cette fin, elle ne doit pas être provoquée. Moi, j'ai forcé mon départ... J'ai raccourci volontairement le temps que j'allais passer à tes côtés. Je me suis pris pour Dieu, j'ai essayé de prendre le contrôle de ma propre vie, jusqu'à la perdre. Je ne peux plus reculer maintenant...

M'entends-tu, maman ? Ne fais qu'un signe de la tête, s'il te plaît. Ne me fais qu'un petit sourire… je t'en prie…

Je reviendrai demain alors… Je continuerai de veiller sur toi sans cesse. Je serai près de toi chaque jour jusqu'à ce que tu me pardonnes ou que tu esquisses un petit sourire, qui bercera mon éternité.

Pardon, maman, je t'aime.

JOUR 35

COMPRENDRE
À RETARDEMENT

1ᴱᴿ OCTOBRE 2003

O n devrait toujours vivre comme si c'était le
dernier jour. Comme si c'était la dernière fois
que nos yeux avaient la chance de contempler le
lever du soleil et qu'il n'y avait rien de plus magnifique en cette vie. On ne devrait jamais se contenter
d'ordinaire puisque le simple fait d'être vivant est
extraordinaire. Quand je parle d'extraordinaire, je
parle bien sûr d'avoir le plaisir de lire le journal en
prenant un bon café le matin. Il me semble que tout
aurait meilleur goût si l'on ne faisait que réaliser
notre chance. Tout serait plus léger et plus facile à
respirer, à apprécier.

Ça me manque tellement de me lever le matin, et
d'entendre le grincement de mes os mal entretenus
qui font plus de bruit qu'un vieux parquet de bois.
D'ouvrir un œil à la fois et de percevoir l'odeur que
dégage la cafetière programmée la veille, qui me
prépare le premier d'une longue série de cafés plus
corsés les uns que les autres. Je suis en manque de
chercher la pinte de lait dans le réfrigérateur pour
me rendre compte qu'un de mes enfants l'a laissée
toute la nuit sur l'îlot de la cuisine. De l'ouvrir, de

prendre un risque en enfouissant mes narines dans l'ouverture de son bec, d'y humer l'odeur de vomi qui s'en échappe avant de la vider dans l'évier en me demandant qui de vous quatre l'a oubliée sur le comptoir.

Enfin, décider de boire mon café noir parce que je suis trop paresseux, encore en pyjama et pas assez réveillé pour prendre ma voiture et aller chercher du lait au dépanneur, qui est à quelques coins de rue seulement. J'ai besoin de lire mon journal et de me dire que, chaque matin, c'est la même bonne vieille et réconfortante routine qui s'exerce. Je suis las de ne plus entendre ma belle Marie faire ses premiers pas dans la chambre juste au-dessus de ma tête vers six heures trente le matin. C'est moi qui lui préparais son petit-déjeuner. Ses deux rôties de blé entier, ses petits fruits frais et sa compote de pommes maison, recette de sa mère. C'est curieux, tout ça m'ennuyait il y a de cela un mois. Aujourd'hui, tout ça me manque à mort.

J'ai toujours cru très fort en ce vieux dicton qui veut que l'avenir appartienne à ceux qui se lèvent tôt. Je n'aurais jamais pu me lever en mi-journée, une fois que le soleil a atteint son zénith et qu'il a déjà entamé sa descente. J'avais une bonne raison de me lever : mes enfants. Une raison qui hurlait tellement que je n'en avais pas le choix !

On banalise trop souvent les petits moments passés en compagnie de ceux qu'on aime. Je vous aperçois tous, dispersés, et Dieu sait que j'aimerais être avec vous en ce moment. Je donnerais tout ce que je possède, mais comme je ne possède rien, cela m'est impossible.

Je donnerais tout pour retrouver la pinte de lait sur le comptoir demain matin et prendre un bon café noir en préparant vos assiettes.

Le petit-déjeuner, ce moment où nous étions tous ensemble, nous apprêtant à commencer notre journée. Chacun sur le point de prendre sa direction, puisque je vous ai toujours enseigné l'indépendance et la débrouillardise.

Ces soirées où on avait du mal à s'apercevoir le blanc des yeux parce que le mauvais temps s'était acharné au-dessus de nos têtes, plongeant le village dans l'obscurité la plus complète. Tout ce qu'on avait à faire, c'était d'écouter pendant de longues heures cette vieille horloge taillée dans un tronc d'arbre que l'on avait reçue en cadeau de noces, Marie et moi. Ces soirées où l'on aurait pu entendre le battement d'ailes d'une mouche d'un bout à l'autre de notre grand salon plongé dans une noirceur profonde. On se laissait bercer par le son des aiguilles qui parcouraient les heures interminables pendant lesquelles tout le monde allait devoir se passer de la télévision et d'Internet. Pour nous occuper, nous avions seulement quelques jeux de société dont il manquait des cartes, des pions et pour lesquels les règlements avaient toujours été nébuleux. J'avais aussi ma vieille chaîne stéréo qui fonctionnait avec piles. C'est le seul moment où vous sembliez apprécier ma musique. Pour vous sortir d'un long silence menaçant pour votre santé mentale. Le seul hic, c'est que nous ne pensions jamais à acheter des piles et que celles des télécommandes du téléviseur ou du magnétoscope n'étaient pas compatibles. Conclusion : ces soirées de bonheur qui me faisaient bien rire se transformaient, la plupart du temps, en prévisibles chicanes familiales. Comme si nous étions incapables de subsister une minute de plus dans cette pièce désormais dépourvue de toute sa chaleur, où tout ce qui restait visible se trouvait à proximité de la petite flamme au bout d'une chandelle, qui menaçait de s'éteindre chaque fois que quelqu'un laissait échapper un profond soupir de découragement.

Aussi, ces soupers que nous avons trop souvent négligés. Je ne demandais pas énormément, je vous autorisais même à y inviter vos amis si cela pouvait me permettre de vous avoir tous autour de la table en même temps.

Nous aurions dû en faire une tradition, comme dans toute bonne famille.

Gare à quiconque aurait voulu y échapper sans avoir en main un billet du médecin. La table m'a toujours semblé si grande et si vide. Elle n'a toujours servi qu'à meubler un espace inutile dans le coin de la salle à manger, ce lieu dépourvu de bons moments. Elle ne servait qu'à ramasser de vieilles revues, d'anciens journaux jaunis et de nombreux dépliants publicitaires périmés.

C'est encore pire maintenant que je suis parti! Les repas, vous les prenez tous chacun de votre côté, quand vous ne faites pas carrément la grève de la faim. Frédéric s'installe avec son assiette devant son ordinateur, François mange à des heures impossibles, et ce, quand il y pense.

Vous négligez tout, même les anniversaires.

Cette salle à manger que Marie avait si bien décorée, elle est maintenant déserte et sinistre.

Vous n'y accrocherez plus aucun ballon multico-
lore ni guirlande et ruban. Adieu tous ces moments
qu'on aurait dû savourer ensemble pendant que
personne ne manquait à l'appel.

Pourquoi faut-il toujours comprendre lorsqu'il
est trop tard?

BESOIN D'ÉVASION

Vous vivez un début de novembre froid et difficile comme on n'en avait pas vu depuis longtemps. Tout le monde est légèrement dépressif
déjà, comme au bout d'un hiver qui n'en finit pas.
Normalement, c'est en mars que l'on ressent cet
immense besoin de soleil. Cet automne aura été
tellement long et sombre.

Partez! Prenez l'avion pour quelque part. Je sais
que ce serait pour vous la première fois de votre
vie, alors soyez fous! Soyez vivants.

Ne restez pas dans le noir à attendre que les
journées chaudes reviennent, vous ne réussirez pas
à traverser l'hiver en gardant la tête froide de cette
manière. Évadez-vous. Le monde est si grand et il
est à votre portée! Je ne vous ai pas élevés comme
ça, à réagir sur un coup de tête, par impulsion.
Vous avez grandi en observant ma bonne vieille
routine ennuyeuse. Mais vous serez bientôt des
adultes, et surtout, vous êtes maîtres et en contrôle
de votre vie. Vous avez le droit d'établir vos propres
règles à partir de maintenant, alors faites-le. Allez

découvrir de nouveaux horizons, cela vous fera le plus grand bien.

Imaginez-vous ce que vous procurerait une petite semaine au soleil, à vous prélasser ! Quitte à partir à crédit si vous n'en avez pas les moyens. Je ne devrais peut-être pas vous dire ça, mais je comprends votre besoin d'évasion. Cette maison vous fait penser à moi. Notre rue, qui se tient dans l'ombre de la vieille église, bloquant l'accès au soleil même en plein cœur de l'après-midi, vous empêche de m'oublier. Cette église que vous n'êtes même plus capables d'entrevoir lorsque vous passez en face puisque les souvenirs qui s'en dégagent sont trop pesants. Elle ne fait que vous remémorer la dernière fois où vous m'avez vu.

Un séjour en dehors de ce village vous serait tellement salutaire.

Moi, j'ai toujours voulu voir la mer. Ce besoin d'évasion, d'immensité. Rien ne pouvait le satisfaire. Je n'ai juste jamais pris le temps de prendre des vacances. Il fallait bien que je travaille. Il m'aurait attendu, le travail. Aujourd'hui, je peux m'y retrouver autant de fois que je le veux, au bord de la mer. Mais elle n'a pas le même goût sans vous à mes côtés. Je la vois maintenant, mais je ne peux l'atteindre. Je ne peux y toucher, ou encore m'y baigner. C'est si beau, si grand !

En ce moment, je m'ennuie de mon corps ! Je m'ennuie de mon corps pour une simple et bonne raison : je suis au bord de la mer, et je ne peux même pas en profiter. Je veux marcher sur la plage et sentir les vagues m'atteindre et me glacer la peau jusqu'à ce que je ne sente plus mes pieds. Je m'ennuie de mon corps. Je veux courir vers la mer et y plonger, la tête la première. Je veux sentir le soleil me brûler la peau, comme avant.

Dire que je n'ai jamais pris de temps pour moi, et moi seul. C'est si apaisant, le son des vagues qui claquent doucement contre les rochers.

C'est si impressionnant, l'infiniment grand. J'en ai les larmes aux yeux. Tout ce que je peux apercevoir en fixant au loin, c'est un minuscule bateau de croisière qui doit être immense lorsqu'on se trouve à son bord. Que de l'eau à perte de vue. Peu de choses ont réussi à me tirer une larme dans ma vie. J'essayais d'être un homme, un vrai! Un homme qui cache ses émotions et qui ne laisse rien transparaître. Avant le mariage, j'étais capable de compter sur les doigts d'une seule main les fois où j'avais pleuré. Si l'on peut appeler ça ainsi… Disons plutôt les fois où mes yeux s'étaient humidifiés, sans laisser de traces sur mes joues. Ça ne m'a jamais vraiment rien apporté de jouer les durs à cuire.

La première fois où mes yeux se sont rougis, c'était au décès de mon père. Personne ne s'en est rendu compte puisque j'ai préféré m'enfermer seul dans ma chambre pour ne pas montrer ce que je croyais être de la faiblesse.

Je me devais de rester fort pour ma mère, qui était ravagée. J'avais l'impression que c'était mon devoir de prendre la place de mon père à titre de chef de la famille, moi qui étais si jeune. À partir de cet instant, je suis resté fort jusqu'à la première fois où j'ai aperçu Marie dans sa robe blanche, bien des années plus tard. Cela m'a ému jusqu'aux larmes. Cette fois, tout le monde pouvait les voir. Peu à peu, je devenais un homme et je ne ressentais plus le besoin de me cacher. Elle avançait tranquillement vers moi dans l'allée de l'église de Sainte-Madeleine-des-Monts. Pas à pas, au bras de son père, qui s'était finalement résigné à m'accorder sa main.

J'avais envie de partir en courant tellement j'étais sûr de ne pas la mériter. Les années qui ont suivi ont été parsemées de larmes pour tout et pour rien. Simplement en écoutant un film qui venait me chercher. Marie semblait aimer que je sois capable de montrer mes émotions. Cela n'a pourtant pas duré longtemps.

Je crois que j'ai arrêté de pleurer lorsque j'ai pris mon fils Julien dans mes bras pour la première fois. Allez savoir pourquoi.

La mer me rappelle les litres d'eau que je n'aurai pas versés, même en ayant le cœur gros comme l'Univers.

Je suis à sec, à court d'eau salée…

C'est tout de même inspirant, la mer. Ma plume glisse sur le papier sans s'arrêter depuis tout à l'heure. Sans réfléchir, sans filtre et sans ce foutu troisième œil qui m'épie sans cesse, j'écris.

J'aurais dû venir ici bien avant !

Je comprends maintenant ceux qui m'ont chanté toute ma vie qu'il fallait que je prenne des vacances. Ils m'ont tant tenaillé avec ça que je m'étais trouvé un truc pour les faire taire. Je regardais, sans aucun intérêt, les forfaits vacances sur Internet. J'imprimais les meilleures occasions que je pouvais dénicher pour les laisser traîner sur la table de la cuisine parmi les vieux journaux et les dépliants publicitaires, ce qui excitait les enfants. Ils croyaient que je m'étais enfin décidé à décoller vers une destination de rêve avec eux. Ce n'était pas du tout ça mon intention. Je m'en servais seulement chaque fois que quelqu'un me radotait que mon teint vert témoignait de mon besoin de vacances. Je voulais montrer les preuves de mes efforts pour trouver un endroit paisible et chaleureux où aller me reposer. Tout le monde me disait qu'il suffisait de partir une seule fois pour attraper la piqûre et vouloir y retourner chaque année. On me répétait sans cesse que j'allais m'y habituer et en devenir dépendant. Je ne l'ai jamais cru.

Maintenant, je les ai, mes vacances. Les plus longues que je pouvais espérer. Mais je ne peux pas en profiter.

C'est grand, la terre. Il y a tellement d'endroits que j'aurais pu faire découvrir à mes enfants. J'ai préféré leur enseigner la débrouillardise. J'ai préféré leur apprendre à travailler fort pour se payer ce qu'ils voulaient. Mais je n'aurai jamais pu en profiter avec eux. Quand je vois ces petites familles dont les enfants tout jeunes ont déjà fait le tour du monde, je trouve ça formidable. Ils acquièrent tant de culture et de connaissances. Ils ont l'air si heureux avec leurs parents, dans le sable, au soleil, jouissant de la beauté du paysage.

À mon tour, j'ai ce désir profond d'être un petit instant ici avec vous, à admirer toute la beauté de l'œuvre à laquelle on ferait face.

Et ce coucher de soleil, il est spectaculaire ! Je n'avais jamais encore remarqué la splendeur du ciel coloré de milliers de teintes de rose quand le soleil se couche, laissant place à ces innombrables petites étoiles, présage d'une autre belle journée sur terre…

JOUR 80

Blanc comme neige

15 NOVEMBRE 2003

Les premiers flocons blanchissent le village, le dépouillant de toutes ses couleurs, et c'est comme si c'est moi qui les lançais de là-haut. De toute ma vie, je n'ai jamais rien vu de tel. C'est comme si des millions de poussières d'étoiles et de diamants tombaient sur vos têtes. Comment ai-je fait pour ne pas remarquer ça avant? C'est magnifique!

Oui, c'est facilement explicable, mais ça n'enlève rien au miracle. En une seule journée, toute la ville en est recouverte, c'est radieux. J'ai une envie folle d'aller y jouer. De me coucher dans la neige… de faire l'ange, que je ne suis pas. Bien sûr, il est beaucoup trop tôt dans l'année. Personne n'y était préparé ce matin. Je ne crois pas qu'elle restera au sol, ce n'est qu'une question de temps avant de revoir l'asphalte.

Moi qui avais tout le temps détesté l'hiver. Je n'y comprenais rien. Le froid, les embouteillages causés par la tempête, je n'y voyais aucun côté positif. À mes yeux, ça ne servait qu'à se geler le bout des doigts en pelletant, car j'étais trop orgueilleux pour

117

porter des gants ou des mitaines. Je préférais souffrir d'engelures une fois à l'intérieur.

Plus j'y pense, plus je me dis que j'étais grincheux au fond. Je vois les gens qui décorent tout autour. Plus d'un mois avant le temps ! C'est déjà Noël qui est à vos portes, et les maisons s'illuminent tranquillement. C'est féerique. Les gens ont vite fait de ranger leurs décorations d'Halloween cette année. La neige et le temps froid sont si précoces qu'on en oublie l'ordre du temps.

On a oublié aussi le jour des Morts. Dommage, c'était ma seule chance de me faire fêter !

Côté décorations, je ne me suis jamais compliqué la vie plus qu'il le fallait. Un sapin suffisait. Je ne prenais même pas la peine d'accrocher une simple couronne de Noël sur la porte d'entrée de la maison, ne serait-ce que pour mettre un peu de magie dans le cœur des enfants. Comme ça, j'étais sûr qu'elle n'y serait pas encore l'été suivant.

C'est maintenant que j'y pense. J'aurais envie de décorer, de recevoir toute la famille, de faire une table extraordinaire, de rire, de boire, de porter un toast à la vie…

Julien, j'espère que tu ne feras pas comme moi. L'an prochain, à Noël, vous serez trois. J'espère que vous redécouvrirez à travers les yeux de votre enfant toute la magie qui entoure cette période de réjouissance, et ce, dès sa première année de vie. Vous aurez tendance à dire que ça ne donne rien puisqu'il ne réalise même pas pourquoi tout le monde est en train de festoyer. Qu'il est encore trop jeune pour remarquer le sapin tout illuminé! Le père Noël qui fait le tour des maisons, les décorations, les petits présents.

Au contraire, ces premières images resteront gravées au creux de sa mémoire pour toutes les années à venir et elles vous permettront d'instaurer une tradition très importante, selon laquelle il est impératif de passer du temps ensemble à célébrer l'amour qu'on se porte.

Il ne s'agit pas de cadeaux démesurés, mais de petites attentions qui démontrent qu'on pense à l'autre.

J'avais beau détester l'hiver plus que tout, ça ne m'empêchait pas de marcher des kilomètres dans le bois afin de vous dénicher le plus beau des sapins pour ensuite déposer sur sa plus haute branche une étoile. J'ai toujours aimé les étoiles. C'est mystérieux. Une boule de lumière qui flotte en apesanteur dans les airs, au-dessus de nos têtes. Il y a quelque chose de magique là-dedans... Maintenant, je les côtoie chaque jour, les étoiles. Elles sont mes amies et mon phare dans les nuits les plus sombres.

J'ai entendu dire que nous avons tous une bonne étoile. Peut-être qu'un jour, moi aussi, je serai la bonne étoile de quelqu'un! Il me semble que je me sentirais moins inutile. Je me verrais moins courir de part et d'autre à finir mes journées en cherchant ce que j'ai fait de bien dans celles-ci, comme on cherche le cadeau idéal juste avant Noël.

Le temps file à toute allure, les minutes s'affolent et les aiguilles ne tiennent plus en place sur la grande horloge de bois. Les heures sont comptées avant la grande fête de Noël. Le compte à rebours est lancé, il ne reste qu'un peu plus d'un mois.

Vous m'avez déjà semblé plus dans l'ambiance que ça avant aujourd'hui. Je me rappelle quand vous étiez tout jeunes, nous n'avions jamais le temps de faire des emplettes, Marie et moi. Évidemment, quand décembre arrivait, nous appelions la gardienne pour une soirée de magasinage forcé. Les enfants intelligents que nous avons mis au monde se doutaient que nous allions revenir du centre commercial avec la voiture pleine de jouets. Ils nous épiaient par la fenêtre de leurs chambres à coucher dans l'espoir d'apercevoir le coin d'une boîte ou d'un paquet dans un sac sur le point de rompre, étiré parce que les objets qu'il contenait étaient plus lourds que ce qu'il pouvait supporter. Comme par magie, tous les quatre étaient dans leur lit bien endormis au moment où nous entrions dans la maison et enlevions nos bottes enneigées pour faire le tour de leur chambre pour les border. Ce n'était qu'une ruse assurément. Dès que nous nous retournions un instant vers la gardienne pour avoir le compte rendu de la soirée, vous bondissiez hors de vos lits pour vous installer dans l'embrasure de vos portes de chambre. Encore enroulés dans vos édredons, vous observiez les fameux sacs remplis des achats que nous avions déposés sur le sol au beau milieu du grand salon. Vous mouriez d'envie de sortir au pas de course pour aller sans gêne et devant nos yeux y mettre le nez, au risque de recevoir la pire punition de tous les temps. Il nous fallait des jours avant d'avoir le temps d'emballer tout ça. Ce qui allait vous donner toute la latitude dont vous aviez besoin pour fouiller nos placards à la recherche de vos surprises. Nous n'étions pas sots, nous avons été jeunes, nous aussi! Quatre petits anges endormis dans leur lit à notre retour? Non… impossible.

Vos visages rayonnaient tout de même lorsque vous déballiez vos casse-têtes et vos camions le soir de Noël. Peut-être étiez-vous vraiment bons comédiens? J'aurai toujours en mémoire vos yeux d'enfants émerveillés devant la première illumination du sapin. Derrière cette étape se camouflait pourtant un paquet de blasphèmes et de jurons de ma part parce que mes lumières ne s'allumaient jamais du premier coup. Tout ça par ma faute puisque je ne prenais pas le temps nécessaire pour les ranger comme il le fallait une fois les fêtes terminées. Je préférais tout foutre pêle-mêle dans un vieux bac de plastique, même si je savais que je m'échinerais à tout démêler l'année suivante. La procrastination, c'est l'histoire de ma vie. Il y avait toujours une ampoule défectueuse sur les centaines que contenait le sapin. Évidemment, elle empêchait le reste des ampoules de s'allumer et j'allais devoir les essayer une à une avant de découvrir la fautive. Une fois que j'avais réussi, on se souhaitait la bonne année et il était temps de tout défaire.

Malgré tout, cela se terminait par de beaux et chaleureux moments en famille, chacun de vous dans vos petits pyjamas à pattes, réunis autour du grand roi des forêts.

Aujourd'hui, rien n'est plus comme avant.

Tout le monde est dispersé, par ma faute. Je vois déjà venir Noël avec beaucoup d'appréhensions.

Ces larmes ne sont pas que nostalgie. Ce sont des larmes de chagrin profond. Vous n'avez pas le cœur à la fête, j'en suis conscient…

Ce sera votre premier Noël sans moi et ce sera pour vous un deuil de plus à ajouter à votre liste qui se fait de plus en plus longue de peines. Juste pour vous ce soir, je vous envoie de doux flocons. Levez les yeux, fixez une étoile, et dites-vous que je suis là, juste à côté d'elle, à veiller sur vous. Pourquoi est-ce que je vous les envoie si tôt, ces flocons? Pour que vous ayez les prochaines semaines pour vous y préparer. Les yeux au ciel, dites-vous que, bientôt, vous devrez célébrer cette fête qui vous a toujours tenu à cœur, mais que vous avez encore du temps pour vous y conditionner.

En attendant, allez pelleter!

LA RECONNAISSANCE

5 DÉCEMBRE 2003

Je ne savais pas que je m'étais entouré d'aussi bonnes personnes sur terre. Tous ceux envers qui j'ai porté des jugements inappropriés de mon vivant, je me rends compte aujourd'hui que ce sont eux, les gens de cœur.

À commencer par le voisin. Je ne lui ai jamais même adressé la parole. J'ai préféré le regarder aller chaque jour, le détestant toujours un petit peu plus. Ce matin encore, c'est lui qui est allé déneiger notre cour et qui s'est assuré que Marie puisse sortir avec sa voiture pour aller travailler. Je suis certain qu'il sera prêt à négliger ses propres bordures l'été prochain pour lui venir en aide. Il est empreint de bonne volonté et il est habité de cette bonté intérieure que je n'avais jamais remarquée auparavant.

Cependant, j'avais bien vu les vêtements usés qu'il portait pour sortir de chez lui, sa maison délabrée, que même ses jolies bordures n'aidaient pas à enjoliver, et sa voiture qui devait dater de vingt ans au moins. Aujourd'hui, je dois l'admettre, je l'ai jugé sans le connaître vraiment.

Je n'avais aucune idée qu'il avait fait faillite un peu comme moi, à cause de la petite compagnie qu'il s'est éreinté à essayer de faire fonctionner tant bien que mal. Je ne savais rien de ces nombreux emplois qu'il occupait dans le seul et unique but de pouvoir rapporter à manger à ses enfants. Malgré tout ça, il tient le coup, lui. Même qu'il trouve du temps pour aider ma famille.

Je suis certain qu'il méritera sa place au paradis directement. Il ne passera pas plus de trois mois à ne pas trop savoir où aller.

Lui, c'est un homme bon. Ça me soulage de savoir qu'il sera là pour ma belle Marie si elle en ressent le besoin. C'est lui-même qui le lui a dit.

Il n'est pourtant pas obligé de faire ça. Je n'ai jamais daigné le regarder en face. Je suis conscient qu'il ne le fait probablement pas pour moi et que, à partir de maintenant, c'est sans doute ma femme qu'il reluquera en travaillant dans ses fleurs, mais quand même.

Marie, s'il te plaît, remercie-le pour moi. Je mets sur ma liste blanche tous ceux qui te viennent en aide à partir d'aujourd'hui parce que c'est avec leur cœur qu'ils le font.

Les jours sont longs à parler tout seul.

Seulement quelques feuilles où je peux écrire ce que je vis, ce que je ressens. J'ai encore des émotions. Je dirais même que j'en ai plus qu'avant. La seule différence, c'est que j'ai désormais tout mon temps pour les analyser et les comprendre. Je suis capable de mettre en mots ce que je n'ai jamais pu exprimer auparavant.

Je ne sais pas ce que je vais faire de tous ces morceaux de papier griffonnés…

Aujourd'hui, j'aurai fait un pas de plus. J'arrive à dire que j'ai un cœur pour aimer et un cœur pour remarquer la bonté des gens. Toutes ces personnes à qui l'on ne demande rien, mais qui nous donneraient tout. Toutes ces personnes sur qui l'on peut compter. Ces personnes qui seront toujours présentes, peu importe le jour ou l'heure. L'infime partie du monde qui représente toute notre vie. Ces êtres humains qui donneraient leur chemise pour nous rendre heureux et qui sont dépendants de nos sourires. Ces vivants qui s'entêtent à ne pas nous quitter quand nous leur faisons croire que ça va, mais qu'au fond nous sommes ravagés de l'intérieur et que tout ce que nous attendons c'est qu'ils nous tournent le dos et referment la porte de notre chambre pour nous permettre de sombrer en paix. Ceux qui ne se demandent pas s'ils peuvent attendre la même chose de nous en retour, mais qui sont là quand même.

Les vrais amis sont rares. Il faut savoir en prendre soin et les reconnaître.

NOËL

25 DÉCEMBRE 2003

C'est aujourd'hui Noël, ce jour que j'appréhendais depuis déjà un bon moment. Je m'étais mis en tête que ce ne serait pas la plus belle journée pour vous tous, et j'avais bien raison. La maison est plus inanimée que jamais. Aucune lumière, aucune décoration, aucune odeur alléchante d'un succulent repas, comme celle qui l'envahissait l'année dernière encore. Rien de tout ça n'existe aujourd'hui. Je me doutais bien que ça se passerait ainsi. Mais pourquoi ne pas vous être réunis en famille ?

Si c'est simplement pour ne pas me faire de peine puisque je ne suis plus là avec vous, vous avez tout faux. Tout ce que je demande, c'est de vous voir heureux, de vous voir vous amuser comme des fous.

C'est Noël, Bon Dieu !

Vous devriez être contents. C'est la fête autour de vous. Les gens se rassemblent autour d'un bon repas. Le village rayonne de décorations de toutes les couleurs et de toutes les formes. La musique envahit les rues. Tout le monde chante et tout le monde danse. Les gens se préparent pour la messe de minuit. Certains auront déjà un petit verre de trop dans le nez au moment de la communion. On entendra des fous rires éclater aux quatre coins de l'église et des parents chicaner leurs enfants en leur demandant de se taire. Sinon, adieu les cadeaux.

Malgré tout, c'est la joie. Il faut vous amuser ! Ne vous en faites pas pour moi ! Mon réveillon à moi sera de vous regarder vous amuser tous ensemble, de vous voir heureux… Ce qui me suffira amplement. Sinon je continuerai à me ronger de l'intérieur et à me faire du sang d'encre pour vous.

Vous êtes encore une famille. Je ne suis plus là, j'en conviens, mais vous, vous l'êtes toujours.

Tout autour, c'est la folie ! Les cloches de notre église s'en donnent à cœur joie. Leur tintement est moins lourd que celui du 1er septembre passé. C'est la soirée idéale, comme on n'en voit qu'au cinéma.

Une petite neige fondante descend tranquillement sur vos têtes, et vous, vous affichez un petit sourire forcé pour déguiser vos visages déçus. La température est si clémente qu'on se croirait à la mi-octobre. Il fait moins froid aujourd'hui qu'au jour de mes obsèques.

La neige blanchit peu à peu la vallée, transformant les rues en véritable patinoire. Les gamins s'amusent à l'extérieur et les adultes profitent de leur absence pour se raconter des souvenirs et des anecdotes croustillantes.

Tous n'ont pas la chance d'être en santé comme vous l'êtes le jour de Noël…

À la lueur du minuscule sapin de la chambre 412 de l'hôpital de Sainte-Madeleine-des-Monts,

Mme Rollande raconte doucement une histoire à Justin et Simon, qui n'ont pas connu la meilleure journée de leur vie. Souffrir ainsi le jour de Noël, c'est inadmissible. Les deux en même temps en plus, comme s'ils étaient « connectés » l'un avec l'autre. Du son apaisant de sa voix de mère, elle tentera de les endormir. Dès que ce sera fait, elle s'empressera de ressortir les albums de photos qu'elle a glissés en douce dans son sac à main juste avant de quitter la maison à toute vitesse, derrière l'ambulance qui emmenait ses tout-petits à l'hôpital. Elle profitera d'un moment de répit pour se remémorer les Noëls passés, du temps où Gilles était encore auprès d'eux et qu'ils déballaient leurs cadeaux dans la joie tous les quatre. Pendant un instant, elle oubliera les hôpitaux, le stress et les traitements. Elle revivra les jours heureux et elle se laissera bercer par une mer de larmes qui la comblera de bonheur. Elle se surprendra à sourire comme elle ne l'a pas fait depuis longtemps, au son des machines qui font leur possible pour maintenir ses deux petits garçons en vie. Ce sera pour elle son plus beau Noël.

Les voisins, Caroline et Robert, ont fait les fous. Pour la première fois de leur vie, adieu la routine. Adolescente à nouveau, Caroline a surpris son mari avec un beau billet d'avion pour l'Italie, ce qui aidera probablement à prolonger leur mariage de quelques années.

Personne ne se soucie de mon absence, à part vous.

Je le vois bien dans vos yeux vides. Pas de sapin, pas de cadeaux, pas de chandelles, pas de gâteau… Karine porte en elle le premier bébé de notre famille, vous devez ramener la magie autour de vous ! Souvenez-vous d'il y a un an. Vous étiez aussi de jeunes adultes, mais vous ne teniez tout de même plus en place, impatients de voir ce qu'allaient contenir vos paquets.

C'est le plus beau souvenir que j'ai de nos Noëls. Ces soirs où vous alliez vous mettre en pyjama pendant que la musique inondait toute la maison. Ces rares moments où toute la famille y était. Les tantes, les oncles, les cousins et les cousines. L'odeur du feu de bois, celle de la salle à manger qui débordait de plats que nous avions préparés tous ensemble, l'arôme du sapin naturel qui s'était imprégné dans le salon.

Le 24 décembre au soir, en attendant le rappel de la naissance du petit Jésus, votre mère fredonnait pendant des heures ses refrains préférés. Elle sortait ses cahiers de vieilles chansons que je n'avais pas entendues depuis une année entière. Ces chansons que sa propre mère chantonnait les soirs de réveillon quand elle était plus jeune. Ce sont ces souvenirs qui demeurent impérissables. On appelle ça une tradition. Il faut la perpétuer, l'enseigner à nos enfants. C'est le seul moyen de garder vivante la mémoire de ceux qui nous ont quittés. Le 25 décembre, très tôt le matin, je vous emmenais faire le tour du quartier pour souhaiter un joyeux Noël à tout le monde, et nous faisions la même chose lorsque arrivait la nouvelle année. Vous attendiez ce moment avec impatience, car vous connaissiez la tradition. Ne laissez pas mourir ces coutumes. Ne laissez pas mon souvenir s'éteindre à jamais et s'envoler avec le vent. Plus tard, je veux vous entendre raconter à vos petits-enfants comment se déroulaient vos Noëls d'enfants. Racontez-leur à quel point je faisais le pire père Noël qui soit, incapable de changer le son de ma voix un minimum.

J'aimerais tant vous voir tous réunis au lieu de vous voir dispersés, le regard fuyant, les yeux dans l'eau.

Est-ce parce que c'est votre premier Noël sans moi ? Après combien de temps serez-vous capables de vous rappeler vos Noëls passés avec un peu de nostalgie, mais le cœur léger et rempli du bonheur que cela vous procurait ?

Je ne veux plus avoir l'impression que je vous fais du mal constamment, car ce n'était pas mon intention. Amusez-vous, respirez la vie.

Je ne vous ai pas perdus de vue une seule seconde depuis ce fameux matin, celui où j'ai fermé les yeux. Je suis plus présent que n'importe quel être humain pourrait l'être. Je fêterai Noël avec vous, puisque vous m'avez gardé une si belle place. Personne n'a osé s'asseoir dans mon fauteuil dans le coin du salon. Si j'arrivais à m'y asseoir et à le faire bercer sous mon poids, vous pourriez comprendre que je suis avec vous.

Ce soir, avant que vous vous endormiez, je vous borderai. Comme je le faisais avant. Je ferai l'inventaire de tous les présents que vous aurez reçus, même si le cœur n'y était pas. Je les déposerai au pied de votre lit comme quand vous étiez enfants. J'espère que vous ressentirez ce frisson vous envahir et que vous remarquerez cette étoile qui brille par la fenêtre de votre chambre. Ce ne sera pas le traîneau du père Noël pour une fois, ce sera moi. Je ne serai pas juste à côté de cette étoile, je serai elle.

Le cadeau que je me suis fait aujourd'hui c'est de pouvoir profiter de vous à chaque instant, autant que je le voudrai. À moi, de moi.

Personne ne pourra m'en empêcher désormais.

Oui, j'ai ce sentiment d'impuissance devant votre malheur et votre tristesse, mais rassurez-vous. Je vis votre tristesse chaque jour. Je me remplis d'elle pour me rapprocher de la lumière, pour comprendre ce que j'ai fait.

Si Noël n'a pas été aussi joyeux cette année que l'an passé, dites-vous que c'est parce que le meilleur est à venir. Le pire est derrière vous et ce qui s'en vient semble teinté de bonheur.

Dès l'an prochain, vous aurez un petit poupon dans les bras, en guise de cadeau de Noël. En un an, tout aura changé. Il y aura un sapin, projetant ses lueurs aux quatre coins du salon. Il y aura une montagne de cadeaux autour de son tronc et je serai l'étoile qui trônera tout en haut, témoin de votre bonheur retrouvé. Des lumières de toutes les couleurs éblouiront les yeux de l'enfant chéri. L'air sera rempli de l'odeur du festin digne des rois que vous aurez préparé pour Sa Majesté, qui aura ramené la magie dans la maison. La musique égayera la demeure familiale, et grand-maman Marie aura une fois de plus sorti ses cahiers afin de vous fredonner ses plus belles chansons du temps de sa mère, une larme coulant sur sa joue.

Ainsi, l'histoire se répétera. Moi aussi, j'en aurai les larmes aux yeux, triste de ne pas pouvoir être parmi vous, mais je serai aux premières loges du plus beau des spectacles, ébahi devant autant d'amour et de ravissement sous un même toit.

Si vous pensez à moi ce soir, si vous voulez m'offrir un cadeau, offrez-moi cette scène.

Donnez-moi l'envie de découvrir le moyen de revenir sur terre pour me joindre à vous. L'an prochain, il sera né, le divin enfant. Il aura besoin de cette magie que vous seul serez en mesure de lui offrir. D'ici là, je vous envoie une petite neige douce juste pour vous.

En attendant, lorsque à minuit vous vous souhaiterez « Joyeux Noël » par principe puisque votre cœur n'est pas du tout à la fête, sachez que je serai au beau milieu de vous et que je m'imaginerai déjà ce que sera votre prochain réveillon sous le thème du berceau.

Joyeux Noël, mes amours…

JOUR DE L'AN

1ᴱᴿ JANVIER 2004

2004…
Des chiffres que je n'aurai jamais pu écrire sur mes nombreux chèques « rebondissant » de part et d'autre. Étonnant, puisque je postdatais toujours mes chèques de six mois. Mais 2004, jamais.

On aurait dit que je sentais que je ne la voyais pas dans mon avenir, celle-là.

J'étais loin de savoir que c'est l'année qui allait me donner mon premier petit-enfant. C'est probablement l'année des miracles ! Aussi minuscules, mais pesants dans la balance. Une chose est certaine : ce sera une longue année pour chacun de vous ! Plus longue que les trois dernières en tout cas. Une année bissextile. Vous ne vous en rendrez pas compte, mais vous la trouverez interminable. Cette seule et unique petite journée de plus en février vous semblera déprimante comme une journée de funérailles. C'est pourtant censé être le mois le plus court, mais c'est toujours celui-là qui n'en finit plus. Avec son froid insupportable…

Ce sera la poursuite de l'année des premières fois. Vous appréhenderez chaque jour de votre vie comme étant le premier sans moi. Ce n'est pas que je m'accorde plus d'importance à vos yeux que j'en possède, mais je le sais.

Ma mère se sent bien seule aujourd'hui. Personne n'est allé lui rendre visite pour lui souhaiter la bonne année. Pas un volontaire pour terminer les restants de sandwichs aux œufs du réveillon et la pointe de tourtière qu'on a oubliée dans le fond de son assiette d'aluminium. Dommage, puisque c'est sans doute la dernière année que vous aviez la chance de lui offrir vos vœux les plus sincères. On est en train de préparer sa place là-haut depuis un certain temps.

Devrait-on connaître notre date d'expiration ? Ça nous permettrait peut-être de profiter au maximum des gens qu'on aime et qu'on a le bonheur de fréquenter. Ceux qu'on oublie parfois après un certain temps. Maman est tellement riche de connaissances de toutes sortes. Des années à regarder le canal D à longueur de journée, ça forge l'esprit. Pas de longues études, pas de professeur d'histoire ennuyeux, seulement sa vieille télévision à roulette. Une vie en noir et blanc.

Elle aura connu 2004, mais ne s'en sera pas sortie indemne. Ses battements sont décomptés et vous restez là à ne rien faire.

Évidemment, puisque vous n'en savez rien. Vous croyez qu'elle est éternelle. Elle laissera dans le deuil sept enfants et un paquet de petits-enfants.

Avec le même regard fixe, perdue au fond de ses pensées, elle se prépare tranquillement et mentalement à prendre les airs pour rejoindre ceux qu'elle a tant attendus à sa fenêtre.

L'ÂME EN PEINE

23 FÉVRIER 2004

C'est la première fois en six mois qu'on me prie, qu'on m'implore et que quelqu'un ose me demander de l'aide. Comme si je leur faisais peur, ou comme s'ils étaient sceptiques du degré d'efficacité de leurs prières ou de mon pouvoir. Au début, je trouvais ça un peu insultant, je dois l'avouer. Mais en même temps, je comprends l'inquiétude. Je suis là tout de même, je peux vous comprendre ! Dites-moi ce qui vous angoisse.

C'est quoi, le but d'une prière, si ce n'est pas un peu de se vider le cœur de quelque chose qui nous tracasse et nous hante ?

Depuis ce matin, j'entends une voix. On sollicite mon assistance sans cesse. Le problème, c'est que cette voix que j'entends, elle est incompréhensible. Elle s'étouffe dans les sanglots et les cris de désespoir.

Pitié, aidez-moi ! C'est la première fois que je reçois une prière, une demande. Soyez clair et précis dans vos propos, s'il vous plaît !

Sujet, verbe, complément. Comme on vous l'a enseigné à l'école.

On dirait une femme en détresse. Elle est en pleurs et à bout de souffle. Comment vais-je faire pour l'aider ?

Tout ce que j'entends, ce sont des hurlements et mon nom que j'arrive à peine à percevoir avec beaucoup de concentration...

Tout plein d'images se bousculent dans ma tête en ce moment. Le fait que je n'arrive pas à reconnaître cette voix et les besoins qui s'y rattachent me rend extrêmement nerveux.

J'espère que rien n'est arrivé à Marie, Bon Dieu.

Dites-moi qu'elle n'a pas eu un accident ou quelque chose du genre.

C'est vrai que je n'arrête pas de vous dire à quel point je m'ennuie d'elle.

Oui, c'est vrai, je m'ennuie énormément. Comme un mari peut s'ennuyer de sa femme lorsqu'elle part quatre jours en voyage avec ses copines. Ça ne veut pas dire pour autant que je veux la voir ici de sitôt.

Je ne crois pas que c'est sa voix. C'est plutôt une voix rauque. La voix de quelqu'un qui a déjà fumé un paquet de cigarettes par jour. La voix de quelqu'un que j'ai entendu crier comme ça durant toute ma jeunesse. Une voix qui a fait partie de mes chicanes d'enfant, je pense. Soudain, je suis convaincu de savoir à qui elle appartient. J'en reconnais le timbre, mais elle est tellement en état de panique, sa gorge semble si serrée... Que se passe-t-il ?

Et si je fermais les yeux. Si j'essayais de visualiser... Je me revois dans la ruelle avec mes meilleurs amis. C'est une voix féminine. Elle s'y retrouve, cette voix. Pourtant, je me tenais toujours avec des garçons quand j'étais enfant.

Mais il y avait toujours cette voix…

Elle me criait : « Viens souper ! Maman va être en rogne et nous serons tous privés de sortie par ta faute. »

Ça y est, j'y suis ! C'est la voix de ma sœur, Johanne. Maintenant que j'y pense, je la reconnaîtrais entre mille. Elle a tellement crié mon prénom lorsque nous étions gamins.

Que se passe-t-il ? Que fais-tu devant cet homme en sarrau blanc, l'air pitoyable ? On dirait qu'un camion vient de te passer sur le corps tellement tu as l'air abattu. Qu'est-ce qui se passe ? C'est mon beau-frère ou c'est toi qui es malade ? Ne me dis pas que c'est un des enfants ?

Laisse parler le médecin, je veux savoir ce qui se passe. Toi, tu es sous le choc, tu es brisée tel un vase de porcelaine que l'on aurait jeté contre un mur de béton.

— Nous allons tout faire pour votre petit Sébastien, soyez sans crainte. Il existe un traitement qui a été découvert il y a quelques années. Je crois que nous avons établi le diagnostic à temps. Tout ce que vous avez à faire, c'est de prier et de rester unis malgré les épreuves. Le traitement a tout de même un grand taux de réussite pour cette maladie si on la compare aux autres formes de cancer. Heureusement, nous l'avons découvert à temps. Sébastien a besoin d'une famille plus que tout en ce moment ! Il a besoin de se sentir entouré, de se sentir aimé. Pour la suite des choses, nous allons nous en occuper. Rentrez chez vous, nous allons vous rappeler pour prendre rendez-vous dans les jours qui viennent. Nous allons nous côtoyer régulièrement pour les deux années à venir. À raison d'une dizaine de visites par mois. Je sais que l'hôpital n'est pas très loin de chez vous, mais nous pouvons vous offrir l'hébergement ici, dans une chambre, avec Sébastien. Du moins pour la durée des traitements. D'ici là, soyez forte et présente pour votre fils. Rassurez-le, il en aura besoin… Allez, prenez un mouchoir, séchez vos larmes, calmez-vous et rejoignez-le ! Il doit être mort d'inquiétude au moment où l'on se parle. N'oubliez pas, on se revoit très bientôt !

Sébastien a six ans. Il a une peur bleue des hôpitaux et des médecins, comme la plupart des enfants de son âge. Il a toujours eu une santé de chiffon. Il attrapait tous les virus qui rôdaient à la garderie et les symptômes en étaient toujours amplifiés. Ce qu'un enfant normal aurait chassé en quelques jours, lui, il y mettait des semaines d'efforts et d'antibiotiques. Aujourd'hui, on vient de découvrir qu'il souffrait d'une maladie très rare, ce qui fera en sorte qu'il devra passer les deux prochaines années de sa jeune vie à faire la navette entre sa chambre à coucher et sa nouvelle chambre, la 302 de l'hôpital de Sainte-Madeleine-des-Monts. C'est celle dont les murs sont vert menthe, avec la bande de tapisserie beige et les petits oursons en peluche.

Il fallait faire un effort dans la décoration, c'est quand même bien pour y accueillir un petit bonhomme de six ans qui devra mettre sa vie de côté un certain temps, et affronter ses plus grandes peurs : celles des blouses blanches, des stéthoscopes et des aiguilles. Le temps de retomber sur ses pieds et de reprendre une vie normale. Vous savez, la vie qu'ont la plupart des gamins de son âge.

Pauvre Johanne, évidemment, qu'elle est ravagée. Ses yeux sont tellement enflés, elle est en larmes depuis qu'on lui a appris la mauvaise nouvelle. Elle est anéantie et je la comprends très bien ! Je me mets à sa place…

En fait, c'est même impossible de seulement en faire l'exercice. M'imaginer trente secondes qu'un de mes enfants soit branché sur l'une de ces foutues machines, c'est inconcevable. Le pire dans tout ça, c'est que nous ne sommes tellement pas à l'abri d'un tel drame !

C'est Marie que j'aurais pu trouver ce matin dans le bureau du Dr Hébert, apprenant qu'un de nos enfants est malade ou encore que le bébé en construction va venir au monde avec une anomalie quelconque, et je n'aurais rien pu faire pour la consoler et la prendre dans mes bras. Rien que je puisse faire ne lui prouverait un tant soit peu que je suis conscient de ce qui se passe et que je continue de veiller sur eux chaque jour. Que je pense encore à eux à chaque instant de ma mort.

Tout comme je ne sais pas trop quoi faire pour Johanne. Si je l'ai entendue me prier, c'est probablement que je peux faire quelque chose pour elle et Sébastien, mais quoi ? Je suis content qu'elle se réfugie dans la prière parce que, apprendre une terrible nouvelle comme celle-là, c'est assez pour nous faire cesser de croire. On dit souvent que le Bon Dieu ne nous envoie jamais d'épreuves qu'on ne pourrait pas surmonter et que rien n'arrive pour rien, mais parfois c'est difficile à assimiler.

Surtout quand il est question de vie ou de mort pour un petit homme de six ans seulement. Les portes du paradis devraient être fermées à clé pour tous ceux qui n'ont pas eu un minimum de temps sur terre et qui n'ont pas encore atteint l'âge adulte. Accès interdit à tous ceux qui n'ont pas encore eu le temps de commettre des erreurs, tous ceux qui n'ont pas eu le temps d'essayer de les réparer et tous ceux qui n'ont pas eu le temps d'apprendre d'elles. De cette façon, je serais encore sur terre !

Je ne veux pas le voir ici, c'est hors de question. Au moment où l'on se parle, il est encore trop jeune pour être empli de haine, mais dans quelques années, il en voudra à mort à son vieil oncle de s'être enlevé la vie quand lui, il aura passé à un cheveu de perdre la sienne si tôt.

En réalité, il n'aura pas fait que passer à un cheveu. À cause des traitements, il sera passé à tous ses cheveux d'y rester. Ces traitements sont tellement puissants, ça ne pouvait faire autrement. Ils sont administrés à de si petits corps...

Six ans... On ne devrait pas pouvoir entrer au ciel avant de pouvoir entrer dans les bars, voyons donc ! Et dix-huit ans, c'est encore beaucoup trop tôt. Notre vie commence à dix-huit ans. Pas de fausses cartes et pas de mineurs au paradis !

Ça me fait penser à mon petit blondinet que je n'ai pas revu. Où diable peut-il bien se cacher ?

Pardon… Je ne suis pas vraiment au bon endroit pour évoquer le nom du diable. Je devrais plutôt essayer de prier à la place.

J'espère juste que cette mauvaise nouvelle ne sera pas une source de conflit familial et que Johanne et Rémi sauront rester unis malgré tout ce qui va se produire. Déjà que les problèmes et les querelles étaient de plus en plus fréquents entre eux depuis quelque temps. Sébastien n'a pas besoin de ça en ce moment. Malheureusement, cela devient insurmontable trop souvent. Car on le sait bien, quand un enfant est malade, c'est toute la famille qui est malade. Et ce qui importe pour l'enfant, c'est de sentir la présence d'une famille qui le soutient dans ce qu'il vit.

Il s'en sortira, le petit Sébastien, moi, je le sais. Peut-être que c'est à ça que ça sert, les prières ? C'est que, au fond de moi, je suis convaincu qu'il grandira, qu'il deviendra un homme ! Je le vois beau, grand et fort. Un homme bon, un homme avant son temps. Il vieillira plus vite que les enfants de son âge. Sans doute à cause de tout ce qu'il aura vécu, mais par-dessus tout parce qu'il saura qu'il a failli perdre ce qu'il a de plus précieux, la vie. Ce ne sera pas sans séquelles évidemment, mais ce seront des séquelles positives. Chaque soir, il pensera au fait qu'il a frôlé la mort à six ans seulement. Ça le rendra amoureux de la vie et passionné. Ça lui donnera une urgence de vivre et une bonté infinie.

Il rencontrera l'amour, il deviendra papa. Le meilleur papa du monde !

Chaque fois qu'un malheur s'abattra sur sa famille, il saura garder la tête froide puisqu'il s'en souviendra.

Quand ses enfants auront six ans à leur tour, il se rappellera que lui, à cet âge, avait pour meilleurs amis des enfants qui étaient branchés sur des machines autour de lui à l'hôpital de Sainte-Madeleine-des-Monts. Un endroit qu'il voudra éviter pour le reste de ses jours.

Il deviendra un papa patient et tolérant envers ses petits monstres détestables, mais en santé. Il se dira qu'il n'a pas eu la chance d'être un enfant comme les siens lorsqu'il les verra courir partout dans la maison, sous son regard affolé, mais indulgent. Toutes ces choses qui l'auraient rendu fou de rage n'eût été son enfance.

En revanche, il ne sera pas à l'abri du malheur. Il se retrouvera peut-être un jour, à son tour, dans le bureau du médecin, devant un homme qui lui annoncera la fin du monde, et il s'en remettra de nouveau parce qu'il se souviendra que, ce qui lui a sauvé la vie, c'est sa force. Une fois de plus, il s'en sortira indemne.

— Ne t'en fais pas, Johanne. Je suis là, avec vous. Même si tu ne m'entends pas, je suis à tes côtés et je le resterai toute la nuit. Pleure, puisque ça te soulage. Mais demain au réveil, va serrer Sébastien dans tes bras de toutes tes forces. Va lui dire que tu l'aimes et que vous allez vous en sortir ensemble… Dis-lui de ne plus avoir peur, même si tu es probablement deux fois plus effrayée que lui. Ensuite, va embrasser Rémi. Prends-le dans tes bras et dis-lui que vous devrez être unis. Sébastien a besoin de vous sentir solides comme le marbre. Mettez de côté vos différends, le temps de vaincre cette malchance qui vient tout juste de s'abattre sur vos têtes étourdies. Ils sauront vous rattraper tôt ou tard de toute façon. Mais pour l'instant, il n'est pas question de vous deux. Il ne s'agit pas ici d'une thérapie de couple. Ce qui importe, c'est la vie et la remise sur pieds de votre petit bonhomme de six ans.

Le sale boulot, c'est lui qui devra le faire, pas vous.

Il le fera tout seul du haut de ses six ans. Il le fera tel un petit soldat qui aurait pour seule mission de protéger et servir un pays en entier. Faites-lui confiance.

Les médecins compétents de l'hôpital de Sainte-Madeleine-des-Monts s'occuperont du reste.

Maintenant, essaie de dormir. Tu risques d'en avoir grand besoin dans les mois à venir.

N'oublie pas que je suis là. Je ferai tout ce que je peux pour empêcher Sébastien de me rejoindre, c'est une promesse. Je tiendrai la porte du paradis fermée à double tour, pour lui en bloquer l'accès.

LA LETTRE

24 MARS 2004

M es enfants,

Il y a des jours comme ça… Des jours où tout nous semble plus gris, plus sombre… Est-ce que vous le voyez, ce soleil?

Quand j'étais plus jeune, je croyais dur comme fer que le soleil s'allumait et s'éteignait à l'aide d'un interrupteur, comme une ampoule. J'étais persuadé qu'il y avait quelqu'un quelque part sur terre qui était rémunéré pour s'occuper de cet interrupteur.

Le pire, c'est que je l'ai cru pendant longtemps, trop longtemps.

Aujourd'hui, je me tue à vous le dire.

Le soleil, il est toujours là! Même dans les journées les plus grises. Il est seulement caché par quelques nuages. Lourds, certes, mais passagers. Des nuages qui ne resteront jamais trop longtemps si vous réussissez à les chasser.

Ils finissent toujours par se dissoudre et se disperser, laissant place aux plus beaux rayons de soleil. Même le soir, il est là, le soleil, mais il brille pour quelqu'un d'autre. Quand la nuit peut vous sembler plus longue, lui ne s'éteint jamais. Apprenez à voir la vie du bon côté et à lui sourire. Apprenez à en voir le positif. Le négatif, il faut le chasser, comme vous aimeriez dissoudre les nuages par mauvais temps.

Quand vous étiez petits, je vous disais de souffler très fort sur eux et que ça aiderait à les faire disparaître plus rapidement. Vous le faisiez, à vous en essouffler. C'était la même chose lorsqu'on devait immobiliser la voiture à un feu rouge. Je vous avais déjà dit que, en soufflant, vous le feriez virer au vert plus vite et ça vous avait marqués. C'est fou ce qu'on peut être crédule lorsqu'on est enfant. À vous regarder aller aujourd'hui, c'est difficile d'imaginer qu'un jour vous ayez pu croire au père Noël et que vous l'ayez déjà attendu pendant des heures en scrutant par la fenêtre jusqu'à ce qu'il débarque, empestant la vodka et parlant avec la même intonation que votre père, que vous aviez perdu de vue depuis les dernières minutes. Quand on est enfant, le monde dans lequel on vit est tellement fabuleux. Jusqu'à ce qu'on vieillisse un peu et qu'on se rende compte que ce n'est qu'illusion. Je m'ennuie de mon enfance. Je n'ai presque pas de souvenirs de mon jeune âge et très peu de mon père.

Il est parti si vite, je n'ai même pas eu le temps de le connaître. Il a mis fin à ses jours, exactement comme je l'ai fait! Il n'a apparemment pas eu besoin de rester longtemps pour que je prenne exemple sur lui et que j'aie envie de suivre ses traces… J'ai peur d'avoir passé le flambeau à un de mes enfants. S'il le fallait…

Cette nuit, je t'ai entendu souffrir tellement fort, François. Je savais que quelque chose n'allait pas.

Tu es le seul qui n'a pas pleuré lorsque tu as appris mon départ. Nous étions si proches pourtant. Tu es resté fort, tu as voulu prendre ma place comme chef de famille et, maintenant, tu n'en peux plus. C'est au-delà de tes capacités. Tu dois être un adolescent. Tu dois te donner le droit de pleurer. Ces moments que tu crois être des moments de faiblesse sont tout à fait normaux. Tu as tout le temps qu'il te faut pour devenir un adulte, mon grand.

Tu n'as même pas encore dix-huit ans et te voilà pris au piège à régler tous les problèmes et les tracas que je vous ai laissés en vous abandonnant. Ces mêmes problèmes que je n'ai pas pu surmonter malgré ma quarantaine d'années et mes nombreux cheveux blancs. C'est bien trop pour un enfant de ton âge ! Ne sois pas si dur avec toi, je t'en conjure. Tu es dans la fleur de l'âge. À dix-sept ans, j'ai vécu les plus belles années de ma vie. Je veux te voir en faire autant. À te regarder aller, je constate que c'est loin d'être le cas en ce moment. Tes belles années à toi tentent désespérément de s'envoler sans que tu t'en aperçoives. Ne les laisse pas filer. Ne les gâche pas pour vieillir avant ton temps. Fais tes erreurs, subis-en les conséquences, comme cela devrait être dans le cheminement normal d'un gamin de ton âge. Tu as amplement le temps de vieillir. Les années sauront s'occuper de tout le reste. Sans le savoir, tu es sur le point d'hypothéquer ce qui devrait faire partie de tes plus beaux souvenirs : ta jeunesse ! Sois fou et juste assez insouciant pendant qu'il est encore temps !

À la place, tu pleures en silence. C'est ton cœur qui souffre, et c'est pire que tout. Je l'entends tellement fort. Il bat à tout rompre, signe que tu es vivant, même si chaque respiration et chaque pas que tu fais sont de plus en plus lourds à supporter.

Mon cœur s'est serré d'effroi lorsque j'ai pris connaissance de cette lettre que j'ai trouvée ce matin sur ta table de chevet et qui m'était adressée.

Papa,

Comment est-ce possible ? J'ai cru au rêve pendant d'interminables semaines. Candide, j'ai cru à tout ce que tu me racontais lorsque j'étais enfant. Pour moi, c'était normal puisque tu étais mon père. Celui qui détenait la force et la vérité absolues. J'ai adhéré à tes théories bidon sur la mort. J'ai commencé par croire que nous ne mourons jamais vraiment.

J'étais jeune, papa, et je me répétais sans cesse cette histoire que tu nous racontais à l'heure de nous border. Tu sais, celle du petit chien errant qui perdait la vie, mais qui s'apprêtait à revoir sa maman et son papa au paradis des petits chiens…

Puis, lorsque j'ai pris de l'âge, ta théorie a changé. Tu savais très bien que j'étais assez vieux pour comprendre et faire mes propres recherches et tu t'es enfin décidé à me dire ce que tu croyais être la vérité, même si je savais bien qu'il était impossible d'en avoir la certitude avant d'avoir mis les pieds au paradis. À partir de ce moment, j'ai cessé de te croire, papa. Même si tu n'en avais au fond aucune idée, tu as soutenu qu'on se retrouvait un jour quelque part.

Maintenant que tu y es, daignerais-tu me dire la vérité, papa ?

Est-ce que c'est vrai, tout ça ? Si je décidais de m'en aller à mon tour, est-ce que je pourrais te revoir et passer du temps avec toi ? Ou est-ce que, dès le départ, j'ai bien fait de ne pas croire à tes mensonges ?

Nous étions toujours ensemble, du matin au soir. Tu me manques, papa, tu me manques tellement. C'est insupportable. Rien ne pourra jamais te remplacer et venir combler ne serait-ce qu'une infime partie du trou béant que tu m'as fait dans le cœur en me quittant sans dire un mot. Je ne suis pas meilleur que les trois autres, mais je crois que je méritais un minimum d'explication après toutes ces soirées que j'ai passées à écouter tes états d'âme imbibés d'alcool. Je t'ai consolé du mieux que j'ai pu quand moi-même j'en avais besoin. Aujourd'hui, je tourne en rond sans cesse, sans trop savoir où aller et en n'ayant personne auprès de qui chercher du réconfort.

Et je ne suis pas le seul pour qui la vie n'a plus aucun sens. Maman ne cesse de pleurer. Je crois qu'elle ne s'en remettra jamais vraiment. Si elle réussit à surmonter l'épreuve, ce ne sera pas sans séquelles. Elle parle de toi sans arrêt. Chaque fois, elle s'écrase en sanglots. Ça me brise le cœur de la voir comme ça. Pourrais-tu faire quelque chose, toi, de là-haut ? Est-ce que tu vois ce que tu nous as fait ? Te rends-tu compte que nos vies ne seront plus jamais les mêmes ?

Je n'en peux plus…

Est-ce que ça fait mal, mourir ?

Une chose est sûre, c'est que ça fait vachement mal à ceux qui restent.

Comment vais-je faire pour te retrouver là-haut ? Est-ce qu'on y est classé par département, par nom de famille ?

Je te dis à bientôt, papa. À très bientôt…

Ton fils, qui t'aime

Ces quelques mots me déchirent l'âme. Jamais je n'aurais cru me sentir aussi impuissant face à une situation. Le bon père de famille que j'ai toujours pensé être est désormais incapable de faire quoi que ce soit pour venir en aide à son fils en détresse. On ne parle pas ici de genou qui saigne ou de manque de force pour ouvrir un pot de confiture. Mon fils a besoin d'aide.

J'aimerais bien pouvoir encore dire que je ne pourrais pas vivre s'il lui arrivait un malheur, mais c'est trop tard, je ne vis déjà plus. C'est vrai que, s'il fallait qu'il fasse une connerie, Marie ne s'en remettrait pas. Et moi, je serais bien pire que mort…

Je n'ai jamais autant forcé pour que le soleil se lève et que tu aperçoives la lumière du jour. J'ai beau essayer de le prendre à bout de bras, il est trop lourd pour moi. Tu dois à tout prix voir apparaître cette lumière qui t'éblouissait encore, il y a de cela quelques mois. Celle qui te donnait le goût de te lever le matin dès qu'elle se pointait de l'autre côté de ta fenêtre et à travers tes rideaux très peu opaques.

Je n'ai jamais eu aussi peur en dedans.

Mon Dieu, je vous en prie encore une fois, je suis dans la merde. Pourriez-vous le faire lever, le soleil ? Je ne vous demande que ça ! Je sais que je suis probablement le pire disciple que vous ayez croisé sur votre chemin, mais c'est une question de vie ou de mort ! C'est mon fils, François. Il a besoin de voir clair.

Je vous en prie… Je ne demande qu'un peu de lumière en échange de tout ce que vous voudrez, par pitié…

À ce moment précis, en plein élan d'inspiration chrétienne, j'ai senti quelque chose, ou plutôt quelqu'un, immobile derrière moi. Il s'agissait d'une présence si forte que des frissons m'ont envahi pour la première fois depuis longtemps. Il était revenu ! Mon petit ange aux cheveux pâles. Était-ce une perche qu'on me tendait ? Allait-il m'aider à veiller sur les miens ? La tâche était de toute évidence trop laborieuse pour moi et, d'ici quelque temps, ça n'allait être qu'un échec flagrant de plus à ajouter à ma liste.

Pourtant, il était là de nouveau ! Il était frêle et petit, mais il me paraissait plus grand que nature. Que me voulait-il ? Je n'avais pas le temps de jouer une partie de cache-cache. Les minutes étaient précieuses et comptées. Je devais venir en aide à mon fils le plus vite possible.

— Qu'est-ce que tu me veux ? Je suis un incapable. Je n'ai jamais su prendre soin de qui que ce soit. Si tu me suis dans l'espoir que je m'occupe de toi, je crois que tu devrais poursuivre ton bonheur ailleurs et partir à la recherche de quelqu'un d'autre. J'ai quatre enfants qui vivent dans l'appartement d'en dessous, si tu vois ce que je veux dire. Ils ressentent un profond besoin d'avoir des conseils du géniteur que j'aurai été, et je suis incapable de leur en fournir. Laisse-moi tranquille et continue ta route avant que je gâche une vie de plus.

Sur ces paroles, ce petit être aux airs de chérubin m'a regardé droit dans les yeux et a prononcé de sa voix familière ces quelques mots que je n'oublierai jamais de ma mort :

— Je m'appelle Zack.

Aussitôt, en un coup de vent, il a disparu. Comme un soldat qui partait au front, s'apprêtant à s'acquitter de la plus vaillante des missions.

SOIR DE PREMIÈRE

3 AVRIL 2004

Chaque fois que nous préparions une sortie de couple, ce qui se produisait plutôt rarement depuis l'arrivée des enfants, nous prévoyions jusqu'au moindre bouton de manchette. Nos sorties étaient tellement inhabituelles que nous faisions tout pour passer la plus remarquable des soirées. Le matin, au réveil, tu préparais mes habits, que tu repassais minutieusement, avant de les placer soigneusement de mon côté du lit, tout près de ta plus jolie robe. Tu déposais ensuite les souliers que j'allais porter, qui reluisaient tellement tu les avais astiqués longuement, au pied du lit juste à côté de tes plus magnifiques et inconfortables chaussures. Tout devait être prêt pour la soirée que nous avions planifiée durant de longues semaines. Pendant ce temps, je lavais notre carrosse de fond en comble. Ma vieille voiture d'occasion devait être étincelante pour accueillir sa princesse.

Ce matin, quand je suis venu te dire bonjour, comme chaque matin à la même heure, tu étais déjà debout depuis de longues minutes. Tu avais préparé ta plus jolie robe, fait reluire tes plus jolies chaussures et disposé le tout sur le lit, à ta place, laissant mon côté du lit vacant.

Mon cœur s'est crispé un instant.

Qui aura la chance, après les sept mois où tu as fait la veuve, de t'accompagner pour une première sortie ?

Je crois que c'est la première larme que je verse de ma vie d'ange, ou plutôt de ma vidange…

Est-ce que tu remarqueras cette petite larme que j'ai laissée tomber sur ton oreiller ?

Lorsque tu préparais mes vêtements, il y avait toujours un élément que tu oubliais, mais que je portais chaque fois : mon nœud papillon.

Si j'arrivais à le prendre et à le déposer sur mon côté du lit, est-ce que ça te rappellerait ce souvenir ancré dans ma mémoire ? Est-ce que je devrais déjà arrêter de dire « mon côté du lit » ? Je ne sais pas qui sera le chanceux qui pourra t'accompagner pour cette soirée, mais j'espère qu'il réalisera qu'il aura entre les mains un diamant d'une valeur inestimable.

Bien que j'aie du mal à te laisser partir, je suis content que tu sortes un peu de ta tanière et que tu essaies de rencontrer quelqu'un d'autre. Je commençais à m'inquiéter de ce teint pâle et de cet air malade. Amuse-toi du mieux que tu peux, amuse-toi pour deux ! Ne pense pas à moi, pour une fois. Ne fais que profiter du moment. Va faire ce que tu aimais le plus et que je t'ai toujours empêché de faire. Va chanter jusqu'au petit matin dans un karaoké. Tu as besoin de changer d'air, cela te fera le plus grand bien ! Par contre, j'aurais une toute petite demande spéciale. J'aimerais que tu chantes la chanson que tu chantais lorsque je t'ai vue pour la première fois dans ce bar, au milieu des cris et de la fumée. Celle qui m'a fait littéralement tomber amoureux de toi. Ne la chante pas pour moi, mais pour celui qui pourrait être l'homme qui sera à tes côtés pour le reste de ta vie.

Et avant que j'oublie : tu es magnifique dans cette robe...

ÇA VA BIEN

3 MAI 2004

J e ne croyais jamais être en mesure de dire ça un jour, mais je me rends compte que j'écris de moins en moins souvent, signe que je vais de mieux en mieux ! C'est étrange, mais un sentiment doux et apaisant m'habite en ce moment. Un sentiment de renaissance.

C'EST UN GARÇON

16 MAI 2004

Ma mère et Karine sont entrées à l'hôpital toutes les deux ce matin, presque dans la même ambulance. Cependant, l'une d'entre elles s'apprêtait à donner la vie, et l'autre à la perdre. Je savais que maman ne pourrait pas survivre une année de plus. Je l'ai toujours cru : quand un enfant est sur le point de venir au monde, il faut que quelqu'un lui cède sa place pour équilibrer le poids de la planète. Pourtant, la terre est si grande que ça ne devrait jamais se produire dans la même famille...

Normalement.

C'est bien connu aussi, il ne faut jamais dire « jamais ».

La naissance n'enraye pas la douleur du départ, mais la venue d'un petit être chéri et attendu l'apaise un tant soit peu et nous aide à transformer la raison de nos larmes.

Deux mamans extraordinaires ! Une qui l'aura été, et l'autre qui est sur le point de le devenir.

Pendant que la moitié de la famille est au chevet de maman à la veiller pendant ses dernières heures, l'autre moitié fait la navette entre les deux chambres, attendant impatiemment le verdict de l'accouchement, le sourire aux lèvres. Dans quelques heures à peine, Karine, tu auras dans tes bras le petit prophète de bonheur qui unira sa force à la vôtre pour réparer mes dommages collatéraux. Cela ne lui demandera pas d'efforts, bien au contraire, ce ne sera pas une corvée pour lui, il ne le fera que par sa présence.

Soudainement et avec raison, vous penserez de moins en moins à moi.

Mais c'est parfait comme ça. Quand vous le ferez, ce sera pour dire : « Mon Dieu, j'aurais aimé que Bertrand soit là pour voir ça. »

Ce que vous ne saurez pas, c'est que je serai celui qui bercera ses nuits, chuchotant de petites berceuses douces à son oreille, toute la noirceur durant. Vous vous surprendrez à le voir dormir pendant de longues heures, ce qui vous permettra de récupérer des nuits courtes qu'il vous fera parfois subir. Vous vous exclamerez à vos amis qu'il est un bébé parfait.

Je serai la veilleuse de ses nuits les plus sombres, la ouate dans ses oreilles pour soulager son otite, la couverture de laine qui le tiendra au chaud les soirs d'hiver. Je serai pour lui tout ce que j'ai été pour vous, mais aussi tout ce que j'ai négligé.

Je serai tout simplement là. Lorsque, penchés au-dessus de son berceau, vous verrez ses petits yeux ronds océan fuir votre regard de parents, c'est qu'il m'apercevra au-dessus de vos épaules, admirant la scène en bouillonnant de fierté comme une rivière au printemps.

J'aurai la chance de découvrir son petit visage frêle avant tout le monde. Je serai là quand vous choisirez son prénom. Vous ne le voudrez pas trop long. Vous ne voudrez pas qu'on le raccourcisse de moitié comme ces « Maxime » qu'on rebaptise « Max » après quelques mois.

Vous penserez à tout par vous-mêmes et vous deviendrez haut la main de nouveaux parents sages et responsables.

Si vous saviez comme je me réjouis d'être où je suis en ce moment et d'être l'heureux témoin d'autant de bonheur, ce qui n'a pas toujours été le cas.

Vos larmes de joie sont comme un onguent sur les blessures que je vous ai infligées, me déculpabilisant encore un peu et m'aidant à continuer dans mon cheminement de longue haleine.

Le rêve de toute une vie est sur le point de se réaliser pour moi. Aujourd'hui, je deviendrai grand.

Grand-papa Bertrand.

OUI, JE LE VEUX

22 JUIN 2004

S i on regardait en arrière un peu… Si on reculait de vingt-deux ans, c'est aujourd'hui même devant Dieu et devant les hommes que tu allais me dire : « Oui, je le veux. »

Nos deux familles et nos amis étaient présents, tous plus chics les uns que les autres. C'était jour de fête. C'était aussi le jour de ton anniversaire de naissance. Tu venais à peine d'avoir dix-neuf ans et tu étais belle comme le jour. Tu l'es toujours d'ailleurs.

Il y a vingt-deux ans, jour pour jour, je m'apprêtais à épouser la plus belle femme de toute la terre ! J'étais l'homme le plus chanceux du monde, c'est vrai. J'avais la chance de partager mon quotidien avec toi depuis cinq ans déjà. Le bonheur que j'éprouvais en t'apercevant chaque matin en ouvrant les yeux était immense.

Je n'avais pas dormi de la nuit d'avant, évidemment… Je n'avais fait que penser à cette journée que j'attendais avec tant d'impatience. Tu avais passé la nuit chez tes parents, et moi, chez mon frère Érik, comme le voulait la tradition. Nos parents avaient agi ainsi la veille de leur mariage et nous allions en faire autant. Personnellement, je trouvais ça un peu ridicule, je dois l'admettre. Tu n'avais pas cessé de m'appeler toute la journée, révisant chaque petit détail, chaque élément de cette soirée qui se devait d'être inoubliable puisque nous allions unir nos destinées pour le meilleur et pour le pire. Le souper devait être fabuleux, nos invités devaient être traités comme des rois et la musique devait être parfaite, toi qui aimais tellement ça. Il n'y avait pas un moment de la journée qui passait sans que tu me fredonnes un air avec ta douce voix. Nous allions faire une compilation de ces chansons qui allait jouer durant le repas. Je me souviens encore de cette chanson d'Aznavour que tu écoutais à répétition, c'est sur elle qu'on allait danser. Chaque jour était un spectacle avec toi.

Il y a vingt-deux ans, je m'apprêtais à vivre le plus beau jour de toute ma vie. Nous étions jeunes, fringants, amoureux.

J'avais à peine vingt et un ans et tu n'en avais que dix-neuf. J'avais la coupe de cheveux la plus immonde qui soit. Personne n'aurait dû me permettre de sortir de la maison ainsi. Du moins pas sans me donner une amende pour pollution visuelle. Il faut dire que la mode n'était pas la même dans le temps non plus ! Je ne crois pas que tu aurais accepté de m'épouser en 2003 si j'avais arboré une coupe Longueuil, un habit jaune moutarde et des souliers crème. Sans parler de mes lunettes qui me faisaient des yeux de poisson et de ma moustache qui essayait tant bien que mal de pousser.

J'avais passé la semaine à astiquer ma vieille Chevrolet. Celle qui nous avait fait vivre tant de belles soirées, aussi mémorables les unes que les autres.

Celle-là même qui allait nous attendre à la sortie de l'église pour nous conduire jusqu'à l'hôtel, où j'allais passer la nuit la plus inoubliable. J'aurais bien voulu que cette nuit-là nous mène tout droit à la pouponnière, mais tu ne t'y sentais pas tout à fait prête. Je respectais ta décision, que je trouvais parfaitement mature et réfléchie pour la jeune femme que je venais d'épouser.

Ce jour-là, tu avais accepté de devenir ma femme à la vie à la mort. Vingt-deux ans plus tard, voilà que ça ne veut plus rien dire du tout puisque je *suis* mort.

De nos jours, tout est tellement difficile. Je serais incapable de vivre seul, moi aussi. Il faut bien voir la réalité en face.

Après tout, c'est moi qui suis parti sans laisser d'adresse, en coup de vent. Toi, tu ne m'as pas quitté, jamais…

Nous étions heureux ensemble, non ? Vingt-deux belles années de mariage, comme on en voit de plus en plus rarement aujourd'hui, à l'ère des réseaux de rencontre sur Internet.

Tu portes toujours ton jonc, qui ne valait pas un sou, mais qui m'a valu le plus magnifique des sourires quand je te l'ai présenté. Je ne sais trop si tu le gardes parce qu'il est difficile à enlever, par habitude ou si c'est vraiment significatif, mais tu le portes toujours! Ça m'aide à me sentir plus près de toi. J'angoisse juste à m'imaginer qu'un jour peut-être tu le remplaceras par un autre qu'on t'aura offert, ce qui serait tout à fait légitime.

Le curé l'avait bien dit : pour le meilleur et pour le pire…

Aujourd'hui, j'ai du mal à accepter que j'aie pu te faire subir le pire. Est-ce qu'il y a un tout petit peu du « meilleur » qui te revient à l'esprit quand tu penses à notre union?

Bientôt, ce sera au tour d'un de nos enfants de se marier et de vivre cette journée unique, qui n'arrive qu'une seule fois dans une vie. Enfin, habituellement!

Quoique j'en connaisse qui n'auraient même pas assez de leurs dix doigts pour stocker les joyaux de leurs multiples essais et erreurs.

L'idée que ce sera quelqu'un d'autre que moi qui conduira notre petite Léa jusqu'à l'autel m'est insupportable. Ce ne sera pas moi non plus qui donnerai ma bénédiction à l'homme qu'elle aura choisi. Ce sera un autre qui essuiera cette petite larme qui coulera doucement sur sa joue quand elle aura une pensée pour son défunt père qu'elle aurait souhaité présent pour assister à la journée la plus importante de sa vie…

C'est ce même homme qui profitera d'une danse avec elle lors de la soirée de noce. Cet homme qui ne l'aura pas vue grandir et qui n'aura en réalité aucune idée de qui elle est vraiment. Cet homme qu'elle acceptera dans sa vie pour la simple et bonne raison qu'il sait rendre sa pauvre mère heureuse !

Et moi, je serai seul à observer la scène du haut de mon nuage et à m'en vouloir de manquer ces moments si précieux dans la vie de mes enfants… Je serai là à vous regarder danser, chanter et rire à tue-tête.

Je vous regarderai m'oublier un instant, le temps de vivre un peu, puisque vous devez le faire ! Je vous regarderai tanguer à vous en étourdir, comme sous l'effet du bon vin, puisque la Terre tourne toujours et qu'elle est encore votre maison.

TOUTE MAUVAISE CHOSE A UNE « FIN »

28 AOÛT 2004

Nous avons aujourd'hui même fait le tour du calendrier. Cette année bissextile aura effectivement été plus longue que les trois précédentes. C'est le retour à la case départ. Une messe anniversaire, un poème récité en hommage, quelques fleurs déposées sur ma pierre tombale.

Bon, j'en ai assez. J'ai eu le temps de faire une introspection complète. De vivre chaque moment avec vous. Un peu à l'écart, certes, mais sur la même planète que vous. J'aurais été incapable de vous laisser comme ça du jour au lendemain. Incapable de mettre une croix sur ma vie et de faire basculer la vôtre de pareille sorte. Je suis encore là et je suis plus vivant que jamais. En fait, je me sens revivre. À partir d'aujourd'hui, je vivrai chaque moment comme si c'était le dernier, de peur de perdre tout ce que j'ai de plus précieux. Je remarque et j'apprécie chaque sourire et chaque signe de la main qui me sont destinés et je les rends avec joie.

J'ai passé la dernière année à me demander ce qui se serait passé si j'avais décidé de partir par un soir de détresse comme celui que j'ai vécu il y a un an, mais j'ai choisi de rester. J'ai pris en note tous les événements marquants de 2003-2004, qui m'ont fait voir que j'étais loin de mener une existence banale. Je suis l'être le plus chanceux qui soit, entouré de ma femme et de mes enfants. De mes frères et sœurs. De mon premier petit-fils et des prochains à venir.

J'ai choisi de vivre dans ma tête ce que j'aurais vécu pendant toute une éternité pour me rendre compte qu'il était préférable de vivre au jour le jour avec ceux qu'on aime plutôt que de les voir essayer de sourire… Maintenant, j'ai plus de pouvoir que jamais. J'ai expérimenté la mort, intérieurement, pour constater que le choix est facile à faire.

Mieux vaut vivre !

Vivre intensément chaque moment, chaque instant futile du quotidien, chaque petite seconde de mon existence.

Je suis encore en vie. J'ai frôlé la mort ! Les frissons me parcourent le corps quand je repense à cette nuit où j'ai failli mettre fin à mes jours. Des frissons que je n'aurais plus ressentis si j'avais eu le courage d'aller plus loin. La peur du noir s'est emparée de moi encore une fois. Je n'ai jamais été aussi heureux d'être une poule mouillée.

Pardonnez-moi d'avoir été tout seul dans mon monde à plusieurs reprises, durant tous ces moments marquants de la dernière année. C'était nécessaire.

Je devais vivre en double. Une fois en tant que vivant, et l'autre en tant que mort, à essayer de m'imaginer le dénouement, pour ainsi choisir la meilleure option.

Désormais, je m'imprégnerai de chaque minuscule rayon de soleil et de chaque quartier de lune qui se braqueront devant mes yeux.

À présent, je profiterai pleinement de mes enfants, de ma femme, de mes futurs petits-enfants. Je pourrai les voir grandir, marcher. Je pourrai leur apprendre à faire de la bicyclette, les emmener à la plage, les faire rêver, les faire voyager…

Ce matin, je suis entré au bureau de poste avec en main le journal d'un disparu. Celui que j'ai tenu durant toute la dernière année. Un gros paquet de vieilles feuilles jaunies par la fumée de cigarette et souillées par l'alcool, les larmes et l'encre noire. Je les ai mises dans une grosse boîte scellée que j'ai adressée à :

Bertrand Landry
208, rue de l'Église
Sainte-Madeleine-des-Monts

Je me la suis livrée moi-même, le sourire fendu jusqu'aux oreilles. Je ne l'ouvrirai que si la noirceur tente de m'envahir à nouveau.

En attendant, je retourne bercer mon petit Zack, mon premier petit-fils, le petit ange blond qui allait me sauver la vie !

La mort m'attendra…

ÉPILOGUE

Bertrand,

Il y a tant de choses que j'aurais aimé avoir le temps de te dire avant ton départ. Tu as toujours été mon héros et tu le resteras. Je sais que tu es dans chacun de mes pas et derrière chaque bon coup que je peux faire. Je ne suis pas un écrivain, mais tu m'as quand même donné l'inspiration pour écrire ces quelques pages. Seul dans le noir, devant mon ordinateur pendant des heures, je sentais les frissons me transpercer le corps et je savais que c'était toi. Bien que cette histoire ne soit pas totalement fidèle à la nôtre, je n'ai quand même pas pu m'empêcher d'en laisser échapper quelques bribes.

Je suis fier d'être ton fils.

Maxime

Suivez les Éditions Libre Expression sur le Web :
www.edlibreexpression.com

Cet ouvrage a été composé en Adobe Caslon 12,25/15,3 et achevé d'imprimer
en mars 2015 sur les presses de Marquis Imprimeur, Québec, Canada.

Imprimé sur du papier 100 % postconsommation,
traité sans chlore, accrédité Éco-Logo et fait à partir de biogaz.

certifié   procédé   100 % post-   archives   énergie
          sans chlore   consommation   permanentes   biogaz